对外汉语长期进修教材

发展汉语

中级汉语口语（下）

王改改　编著

北京语言大学出版社
BEIJING LANGUAGE AND CULTURE UNIVERSITY PRESS

图书在版编目（CIP）数据

中级汉语口语·下册/王改改编著.
—北京：北京语言大学出版社，2011 重印
（发展汉语）
对外汉语长期进修教材
ISBN 978 – 7 – 5619 – 1391 – 8

Ⅰ. 中…
Ⅱ. 王…
Ⅲ. 汉语 – 口语 – 对外汉语教学 – 教材
Ⅳ. H195.4

中国版本图书馆 CIP 数据核字（2005）第 003514 号

书　　名：中级汉语口语·下册
责任印制：汪学发

出版发行：北京语言大学出版社
社　　址：北京市海淀区学院路 15 号　邮政编码：100083
网　　址：www.blcup.com
电　　话：发行部　82303648/3591/3650
　　　　　编辑部　82303647
　　　　　读者服务部　82303653/3908
　　　　　网上订购电话　82303668
　　　　　客户服务信箱　service@blcup.net
印　　刷：北京中科印刷有限公司
经　　销：全国新华书店

版　　次：2005 年 5 月第 1 版　2011 年 9 月第 7 次印刷
开　　本：787 毫米 × 1092 毫米　1/16　印张：15.625
字　　数：220 千字
书　　号：ISBN 978 – 7 – 5619 – 1391 – 8/H · 05001
定　　价：35.00 元

凡有印装质量问题，本社负责调换。电话：82303590

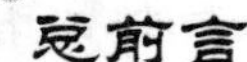

一、编写背景

现有的长期进修教材数量和种类不少，但系列配套的主干教材不多。经过认真研究，中国人民大学对外语言文化学院决定组织编写一套对外汉语长期进修教材——《发展汉语》。

二、编写过程

历时两年多的教材编写工作是在学院的统一领导下进行的。为保证教材的编写质量，学院成立了教材编写委员会，制定编写计划，负责日常的编写组织工作。在编写之初，学院邀请有关专家就教材编写的理论和实践进行学术讲座，组织教材编写人员阅读有关文献，分析相关教材，充实教材编写的理论知识，广泛收集编写材料。教材编委会成员分工负责同一系列初、中、高纵向的联系和不同系列横向的协调。初稿完成后，在大纲的约束下，同一系列不同层次纵向之间进一步相互校改、不同系列同一层次横向之间进一步相互校正。先期完成的不少教材还经过了试用和修改。

三、教材体制

《发展汉语》系列配套教材包括《初级汉语》、《中级汉语》、《高级汉语》，《初级汉语口语》、《中级汉语口语》、《高级汉语口语》，《初级汉语听力》、《中级汉语听力》、《高级汉语听力》，《中级汉语阅读》、《高级汉语阅读》，《中级汉语写作》、《高级汉语写作》共13种，每种均分为上、下两册，共26本。每本教材均以一个学期为一个使用周期。除阅读和写作教材只分中、高两个层级外，其余各类教材均从零起点开始，分为初、中、高三个层次。

四、使用对象

本套教材是专为来华学习汉语的长期进修生编写的，基本上可以满足初（含零起点）、中、高各层次听、说、读、写各主干课程的教学需要。其中，中高级教材也可供汉语言专业本科生教学选用。

五、教学目标

本套教材的教学目标是，通过汉语知识及其相关文化知识的教学和听、说、读、写各项语言技能的训练，逐步培养和提高学习者运用汉语进行交际的能力。为更好地实现这一总体目标、提高教学效率，所编教材力求做到好教、易学、实用、有趣。

六、编写原则

为实现教材编写的总体目标，本套教材确定如下编写原则：

(1) 遵循语言规律、语言教学规律和语言学习规律。广泛吸收语言本体研究、语言教学研究和语言习得研究等方面的成果。

(2) 语言的结构规律和语言的交际功能并重，同时兼顾相关文化内容的教学。广泛吸收各种教学理论和教学法流派的长处。

(3) 遵循教材编写的常规原则：由易到难、急用先学、循序渐进、重复再现；遵循第二语言教材编写的通用原则：针对性、科学性、实用性、趣味性。为此，编写过程采取如下一些主要措施：注重教材定位的准确性，利用教学大纲和水平大纲的指导和约束，教学内容兼顾学习者当前学习生活和未来工作需要，增强内容的百科知识性和哲理思辨性，注重题材体裁和语体风格多样化，确立文化的多元和包容以及沟通和理解的观念，等等。

(4) 遵循以学习者为中心的原则，一切以有利于更快、更好地提高学习者的语言运用能力为第一要务。为此，要求教材的结构设计、内容选择、注释和说明、习题的设计、课文的长短等等，从宏观到微观，力求时时处处站在学习者的角度，用学习者的眼光来衡量和取舍。

(5) 继承和发展相结合的原则。要求教材设计和编写从理论到实践、从体例编创到各环节的组织和安排，都要考虑它跟以往教材的联系与区别，也就是继承和发展的问题。充分吸收以往教材编写的成功经验，认真考虑所编教材整体和局部的创新。

七、余　言

由于工作关系，我本人参与了这套教材的策划和编写组织工作，了解编写和设计的指导思想，故应邀概述其旨。根据我个人对这套教材的观察和对现有教材的了解，我认为这套教材基本达到了设计要求，并且在整体和局部上既吸收了同类教材的长处，又有所创新。但是，编写一套26本的系列配套教材在我们学院还是第一次，工作量之大、组织协调之难是可想而知的，存在缺憾和不足恐怕在所难免。我们期待本套教材的使用者提出宝贵的意见，以便在可能的情况下进一步修改和完善。我想这将是参与本套教材编写的所有人员的真诚愿望。

八、致　谢

《发展汉语》系列配套教材的编写，得到了国家汉办有关领导的肯定和支持；得到了中国人民大学冯俊副校长的关心和鼓励；著名对外汉语教材编写专家、我院兼职教授鲁健骥、刘珣两位先生热情为教材编写人员举办学术演讲并进行编写指导；学院副院长、教材编委会主任李禄兴副教授，编委会副主任幺书君副教授，负责本套教材的日常编写和协调工作，出谋划策、尽心尽力，倾注了极大的热情和心血；编委会其他成员密切配合，尽职尽责；我院教师张卫国教授为教材编写制作软件，给予技术支持；几位校外和海外同行加盟教材编写，通力合作；在历时两年多的时间里，全体编写人员在完成繁重教学任务的同时，把所有的热情和精力都投入到了教材编写、修改和试用工作上，付出了艰辛的劳动；学院资料、行政人员对教材编写给予大力支持和协助；北京语言大学出版社为本套教材提出了许多中肯的意见和建议，在此，我们向以上各位一并表示由衷的敬意和真诚的感谢。

中国人民大学

李　泉

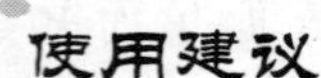

对外汉语长期进修教材《发展汉语》共26本,基本上可以满足初(含零起点)、中、高各层次听、说、读、写各主干课程的教学需要。其中,中高级教材也可供汉语言专业本科生教学选用。《发展汉语》系列配套教材中的每册(上册或下册)可供一学期使用,上下册合起来可供一学年使用。

《发展汉语》使用建议

分册名称	上下分册	适用对象	周课时	备注
初级汉语	上、下	零起点和掌握1000单词的进修生	10	
初级汉语口语	上、下	同上	6	
初级汉语听力	上、下	同上	4	教师册/学生册
中级汉语	上、下	掌握2500单词的进修生或本科一年级(HSK3~5级)	6	
中级汉语口语	上、下	同上	6	
中级汉语听力	上、下	同上	4	教师册/学生册
中级汉语阅读	上、下	同上	2	
中级汉语写作	上、下	同上	2	
高级汉语	上、下	掌握3500单词的进修生或本科二、三年级(HSK6~8级)	6	
高级汉语口语	上、下	同上	6	
高级汉语听力	上、下	同上	4	教师册/学生册
高级汉语阅读	上、下	同上	2	
高级汉语写作	上、下	同上	2	

一、适用范围

《中级汉语口语》（上、下）以具有一定汉语基础、大致掌握了现代汉语基本语法和2000左右词语、母语为非汉语的汉语学习者为主要对象。目的是使学生在掌握了汉语初级口语的词汇、语法点和功能项目的基础上，在日常社会交际中能较为流利、准确地进行汉语会话和成段表达。

二、体　例

本套教材上册共15课，分主、副课文，包括课文、生词、语言点、练习四大部分。主副课文长度一般在1200字以内，生词以乙级词和丙级词为主。主副课文后各有循序渐进的练习供学生和教师选择。下册共16课，分主、副课文，包括课文、生词、扩大词汇量、语言点、练习等五部分。需要说明的是，下册选了122个超纲词，这部分占全部生词总数的30%。因为我们考虑到社会是发展的，语言也在发展，目前社会上流行的一些词语经筛选后收入本教材，有利于增强本教材的现实性。

三、编写原则

1. 注重系统性　作为系列配套教材，注意与同系列其他教材前后呼应。本教材所选生词主要是国家对外汉语教学领导小组办公室公布的《汉语水平词汇与汉字等级大纲》（修订本，经济科学出版社，2001年）中部分乙级和乙级以上的词，甲级词和部分常用乙级词没有作为生词收入。功能方面主要参照《对外汉语教学中高级阶段功能大纲》（赵建华，北京语言大学出版社，1999年），同时参考了《高等学校外国留学生汉语教学大纲（长期进修）》（北京语言大学出版社，2002年），以中等阶段的功能项目、语法项目和口语格式为主，同时包含了一些初级阶段难点项目和易错项目。

2. 注重内容的文化性和趣味性　尽可能选择目前网络、报纸、电视上的热点问题和热点话题，选择目前中国年轻人比较关心、能够引起讨论的一些话题，如上册的"洋节"为什么这么火，名人是否应该对所做的广告负责，以及与婚姻有关的话题。下册课文内容集中在人的性格、饮食与健康、服饰、教育、电脑与网络等16个人们可能感兴趣的话题上，选取畅销书或流行杂志上的一些文章，并安排了一些相关的对话，以开阔学生的视野，丰富学生的想像力，引起学生学习并开口说话的兴趣。具体到每一课课文选材时，尽可能选择多方面的观点和看法，一方面便于学生模仿练习，另一方面可以刺激学生的表达欲望，使学生有的说而且愿意说。

3. 注重功能、话题和语言点的结合　每课包括主课文和副课文，我们努力以主课文引出话题，副课文在主课文的基础上进一步展开论述，丰富主课文的内容和材料，提出更多的论据或观点，使学生能够多方位、多角度地了解本话题。从功能方面看，主要语言功能在主课文中首次出现并多次应用，在副课文中又反复出现以加深学生的印象；从情景方面看，副课文的情景基本是主课文的补充。由于话题相近，所以主课文的生词在副课文中也得到了再现，便于前后参照互相补充、互相说明。课文有对话也有叙述，一方面培养学生的对话能力，一方面培养学生的叙事能力。

4. 注重练习设计的科学性　练习紧紧围绕课文展开。主、副课文后各有一个练习。练习分五大模块，包括词语练习、句式练习、功能练习、情景练习和交际练习，基本上是由简到繁，由易到难，针对课文中出现的生词、语言点和功能反复训练，使学生有充分的机会掌握。词语方面有针对课文中的语言点和生词的词语练习，也有扩大词汇量的练习、词语和情景相结合的练习，还有的提供了简单语境或详细语境的情景功能相结合的练习。由于练习内容比较丰富且数量充足，教师可选择范围比较大，可以根据自己的教学侧重点和学生水平来决定练习的内容，尽可能给教师留下发挥的空间和充足的训练内容。

四、使用说明

全书可供进修生一个学期使用，建议每周一课，每课6学时，教师可根据学生的水平决定练习选择的内容和讲解的重点。

本书的部分内容选自网络和报纸、杂志，书中有的标明了出处，有的由于转载多次，作者、出处已不可考，敬请见谅。

幺书君参与了上册的修改和定稿工作，王淑红、李禄兴、陈晨等对本书提出过修改意见，张卫国教授提供了汉语拼音文本自动转换软件，特此一并致谢。

编　者

CONTENTS 目录

第一课

属相与性格

主课文

鼠

你很容易找到朋友，工作很努力，有想像力，但有时缺少自信。你适合做和人打交道的工作。你是乐观主义者。你对你的爱人、孩子、朋友很大方。你喜欢谈话，你可以为你所爱的人做任何事。你可能会有一个大家庭。

最佳配偶：属龙、猴、牛的人

牛

如果你在牛年出生，你就是一个做什么事都十分小心的人。你希望把任何事情都做得很好。你很有责任心，同事和朋友们都很相信你。但是，如果有人让你失望，你会非常生气。你喜欢传统，对所有的事物都表示怀疑。你实事求是，但你可能很不爱说话，说不定有些人会觉得你骄傲。从表面上看，你很安静，但你有很强的进取心。

最佳配偶：属鼠、蛇、鸡的人

虎

虎代表勇气。你做任何事情都充满活力和热情。你的脑子里充满了很多很多新的思想。你好着急，所以，在做事之前，你需要把事情好好想一想。你的适应能力很强，很少在一个地方待很长时间。你开朗。在争论中你从不让步，也不喜欢听别人吩咐。有时你会没有主意，而且不愿意听别人的批评。

最佳配偶：属马、狗、猪的人

兔

你是一个和平主义者，并愿意和你周围的人在一起。你的兴趣很广泛，喜欢一切艺术和美好的事情。你知道怎样享受，总是去最好的饭店。为了和平，你会对你不满意的事情睁一只眼,闭一只眼。你工作很有效率，记忆力好。你不喜欢冒险，尤其不喜欢太快作出决定。你喜欢聚会和娱乐，但有时会因为娱乐而耽误工作。

最佳配偶：属羊、狗、猪的人

龙

龙总能抓住机会。你是一个完美主义者。别人反对你时，你得用很长时间来原谅对方，并忘掉这件事。你很有思想，并总有有趣的事要说。你很有活力，总是准备着长时间地工作。你最讨厌的是耽误时间。你相信自己的判断，常常批评其他人的建议。你有很强的独立性，以至于你可能一辈子一个人生活。你更愿意去那些人们不常去的地方旅游。

最佳配偶：属猴、鼠、鸡的人

蛇

在你的一生中，你会换好几次工作。你很有商业头脑，总能很幸运地赚到钱。你对别人的批评有幽默感。如果你失败了，你会用很长时间来恢复自信。你在研究、写作、做计划等方面会做得很好。你穿衣服很讲究，常穿比较贵的衣服。如果你不注意，你会得高血压。

最佳配偶：属虎、羊、狗的人

马

你喜欢聚会、和朋友见面。因为你诚实，大家都很尊重你。你说的话很有说服力。你喜欢争论。你的脾气不太好，容易生气。你喜欢独立，喜欢旅游并能发现新东西、新地方。在你人生的某个阶段，你总是会试着去国外生活。你的适应能力很强，所以你去哪儿都可以适应。

最佳配偶：属虎、羊、狗的人

羊

你有想像力和创造力，喜欢精致的东西，很喜欢和别人打交道。你喜欢和别人一起工作，经常让别人作决定，但如果你有想法，你会努力去做。别人往往不知道你的真实想法，如果你能让他们知道，你会做得更好。

最佳配偶：属兔、马、猪的人

猴

爱问问题，总是关心所有的事，喜欢帮助别人。你读了很多书，好学，记忆力好，喜欢和别人争论。你有很强的自信心，以至于听不进别人的意见。按照你的能力，你可以挣很多钱，但是你也很能花钱。有时候，你的计划不能实现，你也不觉得怎么样。只要你努力去做某件事，你就会成功。

最佳配偶：属鼠、龙的人

鸡

你很有幽默感，喜欢发表自己的看法，但缺少正确的方法。属鸡的人有自信心。为了怕忘，你总是拿着一个笔记本或一张纸把要做的事和重要的事记下来。你的外表跟别人很不一样，常穿制服。你喜欢去人多的地方。

最佳配偶：属牛、马、蛇的人

狗

你很忠诚。你开朗，但有时顽固。你很友好，善于听别人的意见，但不善于谈话。你喜欢和朋友们安静地吃一顿饭，或聊一会儿天。虽然你也有脾气，但总是尽量保持平静。能帮助别人是你最大的愿望。

最佳配偶：属虎、兔、马的人

猪

诚实，温和，能理解别人——这就是属猪的人。你善于处理不同意见，总是很受欢迎。你总是捐钱帮助别人。你有幽默感，喜欢让别人高兴、快乐。你很会寻找快乐，花钱很大方。你很难对任何人说“不”——你太天真。

最佳配偶：属羊、兔的人

生 词

1. 缺少	（动）	quēshǎo	to lack	乙
2. 责任	（名）	zérèn	responsibility	乙
3. 实事求是		shí shì qiú shì	seek truth from facts	乙
4. 进取	（动）	jìnqǔ	be eager to make progress	丁
5. 勇气	（名）	yǒngqì	courage	乙
6. 活力	（名）	huólì	vigor; energy	丁

7. 开朗	（形）	kāilǎng	outspoken; optimistic	丁
8. 让步		ràng bù	to yield; give in	丁
9. 吩咐	（动）	fēnfù	to tell; instruct	乙
10. 广泛	（形）	guǎngfàn	extensive; wide-spread	乙
11. 效率	（名）	xiàolǜ	efficiency	乙
12. 冒险	（动）	màoxiǎn	to take a risk; run a risk	丁
13. 完美	（形）	wánměi	perfect	
14. 判断	（动、名）	pànduàn	to judge; judgement	乙
15. 头脑	（名）	tóunǎo	brains; mind	丙
16. 赚	（动）	zhuàn	to make money; make a profit	丙
17. 恢复	（动）	huīfù	to recover; regain	乙
18. 高血压	（名）	gāoxuèyā	hypertension; high blood pressure	丁
19. 聚会	（动）	jùhuì	to get together; meet	丁
20. 尊重	（动）	zūnzhòng	to respect	丙
21. 说服		shuō fú	to persuade; convince	丙
22. 脾气	（名）	píqi	temperament; disposition	乙
23. 阶段	（名）	jiēduàn	stage; period	乙
24. 精致	（形）	jīngzhì	fine; exquisite; delicate	丙
25. 制服	（名）	zhìfú	uniform	丁
26. 忠诚	（形）	zhōngchéng	loyal; faithful	丙
27. 顽固	（形）	wángù	obstinate; stubborn	丙
28. 捐	（动）	juān	to contribute; donate	丁

注 释

睁一只眼，闭一只眼 zhēng yì zhī yǎn, bì yì zhī yǎn
to turn a blind eye to sth. ; wink at sth.

扩大词汇量

1. 从课文中找出带有“主义”的短语，说出它们的含义。再说出另外一些你知道的带有“主义”的短语。

2. 从课文中找出带有“心”字的短语，说出它们的含义。再说出另外一些你知道的带有“心”字的短语。

3. 从课文中找出带有“力”字的短语，说出它们的含义。再说出另外一些你知道的带有“力”字的短语。

4. 什么叫“幽默感”？你还知道哪些带“感”字的短语？

5. 区别“好学”中的“好”、“好着急”里的“好”与“记忆力很好”“做得很好”里的“好”。再说出其他一些类似的例子。

1. ……，以至（于）……

表示由于上文所说的情况而产生的结果；逗号以前是一种情况，逗号以后是由这种情况而产生的结果。

例：你有很强的独立性，以至于你可能一辈子一个人生活。

你有很强的自信心，以至于听不进别人的意见。

根据下面各句的意思，用“……，以至（于）……”造句：

(1) 他工作太累，结果是他的身体累垮了。

(2) 这篇文章他读了许多遍，因此他可以把全文背下来。

(3) 他吃了一惊，结果把筷子掉在地上了。

2. 区分“任何”“所有”“一切”

任何

形容词。不论什么；无论什么。

例：我希望把任何事情都做得有条有理。

你很难对任何人说“不”。

所有

形容词。全部；一切。只修饰名词。

例：房间里所有东西都被烧掉了。

所有韩国同学都去看球赛了。

一切

代词。全部；各种。修饰名词通常不带“的”。

例：我们不能怀疑一切。

一切事物都在变化着。

选择填空：

A. 任何　　　　B. 所有　　　　C. 一切

(1) 没有我的同意，公司里________人都不能去。
(2) 教室里________的同学都看着新来的老师。
(3) ________手续都办好了。
(4) 这里________都好，请你放心。
(5) ________困难也吓不倒我们。
(6) 我们学院________的人都到齐了。
(7) 班里的________人、________事，他都不关心。
(8) 他太渴了，把杯子里________的水都喝光了。

(一) 说一说

1. 请根据课文分析一下各属相的人“最有可能做的事”或“最不可能做的事”，用直线把它们连接起来，并说一说为什么。

最有可能做的事：
当经理
当领导人
当艺术家
当主持人
出国留学
少吃肉
当秘书
在办公室工作
参加一些公益活动

属相：
鼠
牛
虎
兔
龙
蛇
马
羊
猴
鸡
狗
猪

最不可能做的事：
在一个地方等人等两个小时
结婚
吃一种刚刚研究出来的新药
买回一件很普通的家具
当家庭妇女
拒绝别人
在一所房子里住一辈子

2. 你是哪一年出生的？按中国的属相你应该属什么？你觉得课文里说的和你自己的性格相似吗？

鼠年出生的人：	1924	1936	1948	1960	1972	1984
牛年出生的人：	1925	1937	1949	1961	1973	1985
虎年出生的人：	1926	1938	1950	1962	1974	1986
兔年出生的人：	1927	1939	1951	1963	1975	1987
龙年出生的人：	1928	1940	1952	1964	1976	1988
蛇年出生的人：	1929	1941	1953	1965	1977	1989
马年出生的人：	1930	1942	1954	1966	1978	1990
羊年出生的人：	1931	1943	1955	1967	1979	1991
猴年出生的人：	1932	1944	1956	1968	1980	1992
鸡年出生的人：	1933	1945	1957	1969	1981	1993
狗年出生的人：	1934	1946	1958	1970	1982	1994
猪年出生的人：	1935	1947	1959	1971	1983	1995

3. 你知道你的亲戚或朋友的属相吗？他们的性格和课文里说的一致吗？

4. 各个属相的人的性格中，最吸引你的那部分分别是什么？

5. 如果让你根据属相选择最佳配偶，你会选择属什么的人？

6. 比较一下，在不同语言文化环境中，人们对下列动物产生的联想有什么不同。

(1) 龙　狗　羊　猪　猴子　蛇　老鼠　牛　兔子

(2) 凤　鹤　龟　驴　熊　狐狸　鹦鹉　蜜蜂　鹿　狮子　蝙蝠　海燕　猫头鹰　狼　鸽子　蚂蚁

（二）情景会话

1. 一位来中国工作的外国老师对中国的属相很感兴趣。有一天，他和自己的中国学生谈起了中国的属相。这位老师问了很多有关属相的问题，那个学生也告诉了这位老师很多关于中国十二属相的分析。

一位同学扮演外国老师，一位同学扮演中国学生，完成对话。

主要词语及格式：

对……感兴趣
……是怎么回事
一共
……是属……的
按（照）
了解

表示询问的句式：

有人说……，你同意这种说法吗？
听人说……，是真的吗？

内容提示：

外国老师——

(1) 告诉中国学生你对中国的属相很感兴趣。
(2) 告诉中国学生你在美国就听说过中国的属相。
(3) 想知道中国的属相有几个，它们都是哪些动物。
(4) 想知道你自己是属什么的。
(5) 想知道按中国的属相你自己是什么样的性格。
(6) 想知道中国学生怎么看你，告诉中国学生属相上说的和你自己的实际情况是否一样。
(7) 谢谢中国学生的介绍。

中国学生——

(1) 告诉外国老师你对中国的属相了解一些。
(2) 告诉外国老师中国人很喜欢谈论属相。
(3) 告诉外国老师中国的属相有几个，它们都是什么动物。
(4) 查一查，看看外国老师是属什么的。

(5) 告诉外国老师按属相他是什么性格的人。

(6) 说说对外国老师的看法。问他属相上说的和实际情况一致吗?

(7) 告诉外国老师你很高兴和他谈论这个话题。

2. 甲有一位女性朋友，非常相信人的属相和人生命运的关系。她出生在羊年（按中国属相的说法，在羊年出生的女性一生中会遇到很多不幸），碰巧她没有考上大学，找到一份好工作很困难。所有这一切使她非常灰心丧气。

甲和她的朋友正在谈话。甲要劝说朋友并告诉她人的属相与人的前途、命运没有必然的联系。最后，她们俩对这个问题取得了一致的意见。

一位同学扮演甲，一位同学扮演甲的朋友，完成对话。

主要词语及格式：

灰心；不顺心；正好；幸运；最糟糕；命运

表示询问：

听人说……，是真的吗?

表示说明事实：

实际上这是……
和……是两回事

内容提示：

朋友：

(1) 告诉甲最近你自己常常觉得灰心。

(2) 告诉甲最近遇到了很多不愉快的事。

(3) 告诉甲最坏的一件事是自己没考上大学，而且可能连工作都不好找。

(4) 告诉甲听人说属羊的女性一生中会遇到很多不幸，自己正好属羊，所以这些不幸都是命，没办法改变。

(5) 问甲怎样才能改变现在的情况。

(6) 告诉甲你自己总是觉得自己是不幸的，自己的命不好。

(7) 告诉甲你也希望能克服现在的困难。

(8) 告诉甲你打算听她的话，努力去试一试。

(9) 告诉甲这次谈话对自己很有帮助。

甲：

(1) 问朋友为什么最近看起来不高兴。

(2) 问朋友最近有什么不愉快的事。

(3) 告诉朋友考大学不一定是人生惟一的出路。

(4) 告诉朋友人在哪一年出生与人的命运没什么关系。

(5) 告诉朋友这些困难都是暂时的。

(6) 告诉朋友她不应该总是觉得自己的命不好。

(7) 告诉朋友她必须自己努力去改变自己的命运。

(8) 告诉朋友如果需要，你很愿意帮助她。

（三）讨论

你相信人的属相、血型、星座、生日，甚至姓名、相貌能影响人的一生吗？说出你的看法。

副 课 文

你知道中国的那只最有名的猴子叫什么吗？他就是《西游记》里的孙悟空。

甲：嘿，孙悟空可真有两下子，大闹天宫的时候，那些天兵天将没有一个人的本事比得上他。真不愧是“猴王”啊。要不是他一路上保着他的师傅唐僧，那唐僧非得让妖怪们吃了不可。

乙：是啊。孙悟空的本事大是大，可是他太高傲了。我倒觉得他的师弟猪八戒又老实，又随和，更有人性。要是没有猪八戒，他们取经路上的那些脏活、重活由谁干呢？行李由谁挑呢？

甲：我想，这就是他们之间分工的不同了吧。

乙：你知道吗，最近有家杂志社进行了一项调查，有一个问题是问女士的：假如让你从唐僧师徒四人中选择一位做你的恋人，你将选择谁？结果是74%的人选择了猪八戒，而选孙悟空的只有10%。

甲：怪事。这真像那句俗话说的"有爱孙悟空的，就有爱猪八戒的"。

乙：孙悟空有本事，像个英雄，但只适合做情人，不适合做丈夫，因为他猴性多，人性少。猪八戒就大不一样了，他感情丰富，身体健康，吃苦耐劳，敢恨敢爱，敢作敢为。有人说他好吃，但人家干得也多呀，一个人干四五个人的活儿。

甲：可是，也有人说他好色呀！

乙：其实，猪八戒是个感情专一的人，你看他娶了老婆以后从不跟别的女人来往。

甲：就没有人嫌猪八戒长得丑吗？

乙：猪八戒虽然长得丑，但丑得让人喜欢，有一首歌是这样唱的："我很丑，但是我很温柔。"

在老师的帮助下学习生词：

《西游记》	Xīyóujì	本事	běnshi
孙悟空	Sūn Wùkōng	猪八戒	Zhū Bājiè
大闹天宫	dà nào tiāngōng	随和	suíhe
唐僧	Táng Sēng	师徒	shī tú
妖怪	yāoguài	丑	chǒu

一、找出这段对话中描写孙悟空和猪八戒性格品德的词语。

二、从小说或电影中选择一个人物，用描写性格的词语描述一下他/她的性格特点。

一、表示称赞、夸奖或赞美

1. 例：嘿，孙悟空可真有两下子。 (嘿……)

   在下面的情景中……

   (1) 你遇到了一位多日不见的朋友，他看起来精神好极了。你夸奖他：

   (2) 你遇到了一位同学，她今天穿了一件非常好看的衣服。你夸奖她：

2. 例：嘿，孙悟空可真有两下子。 (真有两下子)

   在下面的情景中……

   (1) 你去朋友家做客，朋友在短短的时间里为你做了一桌丰盛的饭菜。你夸奖他：

   (2) 你的女朋友为你织了一件毛衣。你夸奖她：

3. 例：那些天兵天将没有一个人的本事比得上他。

   (没/没有……比得上)

   在下面的情景中……

   (1) 你的朋友参加学校的运动会，跑步得了第一名。你称赞他：

   (2) 你的朋友学习非常刻苦认真，常常学习到很晚。你夸奖他：

4. 例：他的师弟猪八戒又老实，又随和，更有人性。

（又……又……，真/更……）

在下面的情景中……

(1) 你的朋友娶了一位可爱、能干的妻子，你觉得他很有福气。你称赞他：

(2) 你觉得南方温暖、湿润，所以愿意住在南方。你赞美南方：

5. 例：真不愧是“猴王”啊！ （真不愧是……啊！）

在下面的情景中……

(1) 一位有名的医生治好了你咳嗽的老毛病。你称赞他：

(2) 一个被称为“点子大王”的人给你出了一个好主意。你称赞他：

二、表示假设

1. 例：要是没有猪八戒，他们取经路上的那些脏活、重活由谁干呢？

（如果/要是……，<就>……）

在下面的情景中……

(1) 明天下雨的话，你不会出门。你说：

(2) 电视机再坏的话，你准备买一台新的。你说：

2. 例：假如让你从唐僧师徒四人中选择一位做你的恋人，你将选择谁？

（假如……，<就>……）

在下面的情景中……

(1) 你希望再年轻 10 岁，这样你可以做很多你现在不能完成的事。你说：

(2) 你希望中大奖，这样你就能周游世界。你说：

3. 例：要不是他一路上保着他的师傅唐僧，那唐僧非得让妖怪们吃了不可。 （要不是……，非……不可）

在下面的情景中……

(1) 正是因为你朋友的帮助，你才通过了这次考试，要不然你就不及格了。你说：

(2) 就是因为他拉了我一把，我才没掉进河里。你说：

第二课

理想的丈夫和妻子

主课文

你是哪种类型的丈夫

现在，那些除了工作什么都不知道，一心干工作的大丈夫已经越来越不被女人喜欢了。现代女性要求的理想丈夫必须能独立照顾自己的生活。请你回答下面的问题，看看你是否可以自己照顾自己（如果你是一位还没结婚的女士，请根据实际情况回答你家里的一位男性成员的情况）。

1. 你是否知道自己的西服、领带、袜子和内衣放在哪里？

   ○是　　　　○否

2. 你使用过吸尘器吗/你经常用拖把擦地吗？

   ○是　　　　○否

3. 你知道大米的价格吗？

   ○是　　　　○否

4. 你会做饭吗？

   ○是　　　　○否

5. 你会做三种以上的菜吗？

   ○是　　　　○否

6. 你饭后洗碗、擦桌子吗？

   ○是　　　　○否

7. 你使用过洗衣机吗？
   ○是　　　　○否
8. 你知道收垃圾的时间吗/你倒垃圾吗？
   ○是　　　　○否
9. 你打扫、洗刷过卫生间吗？
   ○是　　　　○否
10. 你知道家里的户口本以及各种票证放在什么地方吗？
   ○是　　　　○否
11. 你每星期与家人一起吃晚饭三次以上吗？
   ○是　　　　○否
12. 你知道三个以上爱人朋友的名字吗？
   ○是　　　　○否
13. 你会看报纸的家庭生活版吗？
   ○是　　　　○否
14. 你有业余爱好并坚持下去吗？
   ○是　　　　○否
15. 你同爱人每日谈话30分钟以上吗？
   ○是　　　　○否

评分标准：

每一题回答“是”，得1分；回答“否”，得0分。

你的得分：

说　明：

分数为10~15分：你是一个独立性较强的“21世纪”型丈夫。

分数为 6~9 分：你是一个独立性一般的“自我服务”型丈夫。

分数为 1~5 分：你是一个独立性差的“废物型”丈夫。

你属于哪种类型的妻子

当妻子的总想知道自己算不算个好妻子，那么，就请看看下面10个问题，并从3个选项里选出一个符合自己实际情况的选项（如果你是一位还没结婚的男士，请你按你的心愿选择答案，看看你希望未来的妻子是哪种类型的）。

1. 假如你知道丈夫对你撒了谎，你会：
   ○ 请他道歉
   ○ 做出根本不知道他撒谎的样子
   ○ 把自己当时所想的全说出来

2. 假如丈夫忘记了你们的结婚纪念日，你会：
   ○ 感到很难受，很久都不跟他说话
   ○ 把这个日子写在丈夫能经常看到的地方
   ○ 把丈夫责备一通

3. 当你刚把地冲干净或擦干净了地板，丈夫从街上回来，穿着带泥的鞋子在房里走来走去，你会：
   ○ 叫他站住快脱下带泥的鞋子
   ○ 指着他弄脏的地方要他打扫干净
   ○ 想到自己也会弄脏地板的，所以什么都不说了

4. 早上丈夫离家上班时，他上衣的纽扣掉了，而回家时纽扣又缝上了，你会：
   ○ 因为纽扣不是自己缝上的而觉得心里不舒服
   ○ 请他把这件事讲清楚
   ○ 对这类小事不太在意，所以不问

5. 最近这段时间丈夫对你特别地亲热，你会：
   ○ 对他也特别温柔
   ○ 想弄清楚他对自己犯了什么过错
   ○ 趁这个机会说自己想要一件时髦的衣服

6. 你送给丈夫一条领带，可是他偏偏不喜欢，你会：
   ○ 想尽一切办法劝丈夫去商店换一条领带
   ○ 既然认为自己在选领带方面比他强，就会使他相信这条领带对他很适合
   ○ 马上抓起剪刀把领带剪成碎片

7. 在别人家做客时，丈夫当着你的面向另一个女人大献殷勤，你会：
   ○ 努力使这件事尽快地被别人忘掉
   ○ 做出一副不在乎的样子，回到家里再争取弄清他俩的关系
   ○ 当场就喝斥他

8. 你发现丈夫的头发变得越来越少了或没了的时候，你会：
   ○ 说这毫不影响外表，而暗中悄悄问医生怎么办
   ○ 让他去医院看一看
   ○ 在家庭争吵中嘲笑他

9. 最近一段时间丈夫回来很晚，心里好像总有事，爱发脾气，你会：
   ○ 让他说出心里话，并帮助他
   ○ 想办法弄清楚他是否有了别的女人
   ○ 告诉他如果再这样就分手

10. 丈夫做出了值得称赞的男子汉行为时，你对此如何评价？
   ○ 对他的行为作出应有的评价
   ○ 认为他值得受到奖励
   ○ 认为这不过是偶然的事情

评分标准：

每一题选第一个答案得 1 分，选第二个答案得 2 分，选第三个答案得 3 分。

你的得分：

说　明：

15 分以下：你善良、温柔，很能理解丈夫。你的感情很有分寸。你善于保持夫妻间的互相信任。

15~20 分：你内心还是爱你丈夫的，还是想和他长期生活下去。可是你又总是没有原因地批评他、喝斥他。

25分以上：你同丈夫的关系冷淡，从你的回答来看，你有过错。无论在哪方面，还是在什么时候，你总是很固执。

生　词

1. 类型	（名）	lèixíng	type	丙
2. 独立	（动）	dúlì	independent; on one's own	乙
3. 成员	（名）	chéngyuán	member	丙
4. 吸尘器	（名）	xīchénqì	dust catcher; dust collector	
5. 拖把	（名）	tuōba	mop	
6. 刷	（动）	shuā	to brush; scrub	乙

7. 户口(本)	(名)	hùkǒu(běn)	registered permanent residence	丁
8. 票证	(名)	piàozhèng	coupons	
9. 版	(名)	bǎn	page (of a newspaper)	丁
10. 废物	(名)	fèiwù	waste material; trash	丁
11. 责备	(动)	zébèi	reproach; blame	丙
12. 冲	(动)	chōng	to rinse; wash	乙
13. 地板	(名)	dìbǎn	floor	丙
14. 纽扣	(名)	niǔkòu	button	丁
15. 缝	(动)	féng	sew	丙
16. 在意		zài yì	to care about; mind	丁
17. 剪刀	(名)	jiǎndāo	scissors	丁
18. 献殷勤		xiàn yīnqín	to pay one's addresses	
19. 喝斥	(动)	hèchì	to scold loudly	
20. 暗中	(名)	ànzhōng	in secret; on the sly	丁
21. 嘲笑	(动)	cháoxiào	to ridicule; laugh at	丁
22. 称赞	(动)	chēngzàn	to praise; commend	乙
23. 评价	(动、名)	píngjià	to appraise, evaluate; appraisal, evaluation	丙
24. 奖励	(动、名)	jiǎnglì	to encourage and reward; award	丙

1. 课文中的“洗”“刷”“冲”“擦”各是什么意思？它们各自和哪些名词宾语搭配？

2. “批评”“责备”“喝斥”各是什么意思？比较它们的异同。

3. “类型”和“类”“型”各怎么用？从课文中找出带有“类”和“型”的词，并说出它们的含义。

4. 除课文中提到的“吸尘器”“拖把”外，你还知道哪些家庭常用的清洁用具名称？

5. 说说“剪刀”的用途。

用词语造句

1. 独立

例：现代女性要求的理想丈夫必须能独立照顾自己的生活。

2. 责备

例：把丈夫责备一通。

3. 在意

例：我对这类小事不太在意，所以不问。

4. 献殷勤

例：在别人家做客时，丈夫当着你的面向另一个女人大献殷勤。

5. 暗中

例：说这毫不影响外表，而暗中悄悄问医生怎么办。

6. 称赞

例：丈夫做出了值得称赞的真正的男子汉行为时，你对此如何评价？

7. 奖励

例：他值得受到奖励。

1. 而

连接小句，表示相对或相反的两件事。“而”只能用在后一句的前面。

例：早上丈夫离家上班时，他上衣的纽扣掉了，而回家时纽扣又缝上了。

说这毫不影响外表，而暗中悄悄问医生怎么办。

根据下面各句的意思，用“而”造句：

(1) 全家人都去长城了，我却因为感冒只能在家待着。

(2) 这种花在冬天会开得很好，在夏天却不能开花。

(3) 这里已经春暖花开了，但是我的家乡还在下雪。

2. 既然……，就……

“既然”用于上半句，提出已成为现实的或已肯定的前提，下半句根据这个前提推出结论，常用“就、也、还”跟它呼应。

例：既然我认为我在选领带方面比他强，我就会使他相信这条领带对他很适合。

根据下面各句的意思，用“既然……，就……”造句：

(1) 大家都同意了，那么我们这么干吧。

(2) 想法已经产生了，那么应该设法去实现。

(3) 你表示反对，我也不再说什么了。

（一）说一说

1. 你对你的得分和我们的解释说明有什么看法？你认为测试结果和你的实际情况接近吗？

2. 你认为做一个好丈夫最重要的条件有哪些？课文里提到的那些方面是不是一个好丈夫应具备的条件？

3. 你认为做一个好妻子最重要的条件有哪些？课文里提到的那些方面是不是一个好妻子应具备的条件？

4. 你的周围有没有“爱发脾气”的人？怎么样对付一个“爱发脾气”的人？

5. 什么是真正的“男子汉的行为”？试举例说明。

6. 你一般爱看一份报纸的哪一个版？为什么？从那里你能得到什么信息？

7. 你喜欢和别人谈话吗？你喜欢和什么样的人谈话？你喜欢谈论什么话题？

（二）情景会话

1. 今天是（5月28日）妻子和丈夫的结婚五周年纪念日。妻子记得，丈夫却忘记了。晚上，丈夫下班回来，妻子尽力想让丈夫记起这件事。

一位同学扮演丈夫，一位同学扮演妻子，完成对话。

主要词语及格式：

看出来；怪事

表示询问：

……（时间词）+ 怎么过的？

……（你看）好不好？

记不记得……

表示感谢：

让你/叫你……了

内容提示：

妻子：

(1) 见到丈夫，跟他打一声招呼。

(2) 随便问问今天外面的天气，丈夫上班时都干了些什么，中午在哪儿吃的饭等等。

(3) 问丈夫是不是觉得家里跟平时不一样了，因为你整个上午都在收拾房间。

(4) 问丈夫自己今天穿的衣服是否很好看。

(5) 告诉丈夫今天特地做了很多好吃的菜。

(6) 告诉丈夫今天买了一瓶他最爱喝的酒。

(7) 问丈夫今天是几月几号。

(8) 问丈夫五年前的今天发生了什么事情，他是不是想得起来。

丈夫：

(1) 刚进门，跟妻子打一声招呼。

(2) 告诉妻子今天外面的天气如何，自己做了什么，中午在哪儿吃的饭。

(3) 告诉妻子觉得家里特别的干净漂亮。

（4）告诉妻子觉得她今天穿的衣服非常漂亮。
（5）告诉妻子自己饿了，谢谢她做的饭菜。
（6）谢谢妻子为自己买了那瓶酒。
（7）告诉妻子今天是5月28号。
（8）想一想五年前的5月28号发生了什么事情，然后告诉她。

2. 丈夫的头发原来又浓又密，可是现在越来越少。为了这事，丈夫的情绪非常不好，很苦恼。妻子劝丈夫，但丈夫怀疑她讲的话不是真心的。夫妻俩的关系变得紧张起来。最后，他们决定好好谈一谈。

一位同学扮演丈夫，一位同学扮演妻子，完成对话。

主要词语及格式：

怕；担心；嘲笑；（发）脾气；情绪；在意

表示安慰：

……是难免的
没什么/没什么大不了的
那有什么

内容提示：

丈夫：
（1）告诉妻子最近觉得两人的关系很紧张，应该好好谈一谈。
（2）告诉妻子最近自己情绪很不好。
（3）告诉妻子发现自己的头发越来越少了，觉得妻子会嘲笑自己。
（4）因为妻子以前说过喜欢自己那又浓又密的头发，所以觉得妻子现在不会喜欢自己了。
（5）告诉妻子觉得自己变老了，担心别人会笑话自己。
（6）告诉妻子自己不愿意对她发脾气，但没办法。
（7）向妻子道歉。

妻子：

(1) 告诉丈夫也觉得两人该好好谈一谈了。

(2) 告诉丈夫很想知道他为什么情绪那么不好。

(3) 安慰丈夫自己也发现他的头发越来越少，但你不会嘲笑他。

(4) 安慰丈夫自己既喜欢丈夫原来又浓又密的头发，也喜欢现在的他。

(5) 安慰丈夫别担心，别人不会笑话他。

(6) 安慰丈夫虽然他对自己发了脾气，但自己并不在意。

(7) 帮丈夫想个办法，比如建议他去看医生。

(8) 对丈夫的道歉作出反应。

(三) 讨论

1. 你认为是否有大家公认的理想的丈夫或妻子？为什么？试举例说明。

2. 你心中的理想的家庭是什么样的？（夫妻的职业、养育几个孩子、他们应该住在什么样的房子里……）

副 课 文

也许你还没结婚，也许你还没有男/女朋友，不管怎样你一定会对恋爱问题有自己的看法，也就是说你有你自己的恋爱观。做下列选择题，测试你的恋爱观。

1. 你如何看待爱情：
   - ○ 爱情是浪漫的
   - ○ 爱情能满足自己的情欲
   - ○ 爱情能使人天天向上
   - ○ 没想过

2. 希望恋爱怎样开始：
   - ○ 在工作或学习中慢慢产生

○ 从小就认识
○ 一见面就爱上了
○ 随便

3. 对未来妻子的主要要求：
○ 善于管家
○ 别人都说她漂亮
○ 听丈夫的话
○ 能在多方面帮助丈夫

4. 对未来丈夫的要求是：
○ 有钱有地位
○ 人好，有上进心
○ 不抽烟不喝酒，关心自己
○ 漂亮，有风度

5. 使爱情长久的最好方法：
○ 满足对方的物质要求
○ 献殷勤，讨好对方
○ 一切都听对方的
○ 努力使自己变得更完美

6. 在下列爱情格言中，你最喜欢：
○ 生命诚可贵，爱情价更高
○ 爱情的意义在于互相提高
○ 有福共享，有难同当
○ 为了爱，我什么都愿意干

7. 希望恋人和你在兴趣爱好上：
○ 完全一致
○ 虽然不一致，但能互相联系

○ 服从自己的兴趣

○ 没想过

8. 对待恋爱中的意外曲折：

○ 最好不要出现

○ 认为自己运气不好

○ 想办法分手

○ 把它作为对爱情的考验

9. 发现恋人的缺点时，你的反应是：

○ 无所谓

○ 和他/她分手

○ 心里十分痛苦

○ 帮助对方改进

10. 关于家庭，你的理想是：

○ 能同爱人天天在一起

○ 人活着就应该有个家

○ 能有个孩子

○ 生活更有希望

11. 你有一位异性朋友，你的交往方式是：

○ 恋人同意后才继续交往

○ 让恋人知道，但不许干涉

○ 不告诉恋人，认为是自己的权利

○ 因恋人态度而决定是不是告诉他/她

12. 看到一位比恋人更好的异性，你会：

○ 向那个人大献殷勤

○ 保持友谊，必要时再作说明

○ 十分冷淡
○ 随便

13. 当你总是找不到理想的恋人时，你是：
○ 考虑自己的标准是不是实际
○ 像原来一样
○ 对婚姻感到绝望
○ 随便找一个算了

14. 当你所爱的恋人不爱你时，你会：
○ 愉快地同对方分手
○ 到处说对方的坏话
○ 缠住对方
○ 不知该怎么办

15. 恋人做出对不起你的事时，你会：
○ 你也做对不起他/她的事
○ 到处说对方的坏话
○ 只当自己瞎了眼
○ 从中吸取教训

16. 你认为理想的婚礼是：
○ 能留下美好而有意义的回忆
○ 被别人羡慕
○ 非常热闹，所有的亲人都参加
○ 双方父母满意

评分标准：

下列标准中，"①" 表示选择第一个答案；"②" 表示选择第二个答案；"③"表示选择第三个答案；"④"表示选择第四个答案：

第 1 题	① 2 分	② 1 分	③ 3 分	④ 0 分
第 2 题	① 3 分	② 2 分	③ 1 分	④ 1 分
第 3 题	① 2 分	② 1 分	③ 1 分	④ 3 分
第 4 题	① 0 分	② 3 分	③ 2 分	④ 4 分
第 5 题	① 1 分	② 0 分	③ 2 分	④ 3 分
第 6 题	① 2 分	② 3 分	③ 2 分	④ 1 分
第 7 题	① 2 分	② 3 分	③ 1 分	④ 0 分
第 8 题	① 1 分	② 2 分	③ 0 分	④ 3 分
第 9 题	① 1 分	② 0 分	③ 2 分	④ 3 分
第 10 题	① 2 分	② 1 分	③ 1 分	④ 3 分
第 11 题	① 3 分	② 2 分	③ 1 分	④ 1 分
第 12 题	① 0 分	② 3 分	③ 2 分	④ 1 分
第 13 题	① 3 分	② 2 分	③ 0 分	④ 2 分
第 14 题	① 3 分	② 0 分	③ 1 分	④ 1 分
第 15 题	① 0 分	② 1 分	③ 2 分	④ 3 分
第 16 题	① 3 分	② 0 分	③ 2 分	④ 1 分

你的得分：

说　　明：

0~24 分：恋爱观还没确立，需要尽快确立自己的恋爱观。

25~36 分：恋爱观还不够正确，需要注意改进。

37~42 分：恋爱观处于一般水平。

43~48 分：恋爱观非常正确，值得坚持。

在老师的帮助下学习生词：

情欲	qíngyù	干涉	gānshè
曲折	qūzhé	绝望	juéwàng
异性	yìxìng		

谈一谈你对你的得分和相对应的解释说明有什么看法。

第三课

生活与工作

主课文

（一）

生活是什么？谁能来回答？请看下面一个故事。

有一户人家，生意做得很大，每天晚上算账要算到很晚才能睡觉。这家的隔壁有一个挑担货郎，每天挑着他的货走在大街小巷之中。晚上回家累了就喝点儿酒，吃完饭就唱歌。

大生意人家的妻子问丈夫：隔壁每天赚不到多少钱，为什么老是那样高兴？丈夫说：你想让他不唱歌吗？妻子说：是啊！因为妻子老不明白，隔壁人家钱赚得比不上她家多，为什么老是他家快活？丈夫说：那你送一些钱给他，让他把生意做大。

大生意人家真的把一些钱送给了隔壁人家。从此，挑担货郎也变成了大生意人，每天晚上算账算到很晚，歌声再也没有了。

生活就是这样。当你有了，你就没有了。

（二）

如果问一个没有做过生意的人，老板做生意是为了什么？他可能回答是为了赚钱。一位已经赚了不少钱的老板在回答别人的提问时这样说……

记者：您为什么会对做生意感兴趣呢？

老板：对于一个真正的老板，生意是一种生活方式，伴随他一生。

记者：这么说，您一开始选择做生意，就是说您已经选择了一种生活方式。

老板：是这样的。人活几十年，总要用某种方式度过这段时间，老板做生意，不管赚不赚钱，每天必须去做，这个"做"字就是生命的过程。至于结果，反而退到了次要位置。

记者：那么，您失败过吗？

老板：我不想谈失败，我可以给你讲一个故事吗？

记者：好，您请讲。

老板：有一个企业家，已经很成功了。有一天，他突然想：当初我白手起家时是多么有乐趣，那么，现在我自己能不能再创一次业，再寻找一次用金钱也买不到的感觉呢？

记者：他已经很成功了，怎么可能再一次创业呢？

老板：他悄悄地把自己所有的钱捐给了社会，让自己成为一个真正的穷人。

记者：他这样做，他的家里人怎么办？

老板：他对家里人说，我已经破产了，你们能不能还像当年我白手起家时那样跟我一起劳动？家人虽然心里并不十分愉快，但也没办法。于是，一家人又像以前那样开始奋斗了。

记者：他怎么又能白手起家呢？

老板：他自己去一家公司求职。

记者：求职？他要求什么职？

老板：这家公司的老板问他以前做过什么，他说自己做过总经理。这家公司的老板笑了，跟他说："可惜，我们不需要总经理！"

记者：他一定什么工作都没得到。

老板：不，他一再跟这家公司的老板说自己是来求职的，至于求什么职，干什么都可以，并不一定要当总经理。那个老板见他是真心，就问他会不会打扫卫生。

记者：老板让他当清洁工吗？

老板：对。他当了这家公司的清洁工。回家以后，他高兴地告诉家里人："我有工作了！"

记者：他做清洁工做得怎么样？

老板：他是一个干什么都要干得最好的人。每天上班，他都要提前半小时到公司，擦地、擦桌子，然后为每一个同事沏一杯茶。

记者：他愿意永远做这样的事吗？

老板：他除了做这些事以外，还经常为老板出主意，想办法。当他发现公司有什么问题或者老板有什么难题时，就写下一张小纸条，悄悄地压在老板的办公桌上。终于，老板发现了他的管理才能，开始让他搞管理。

记者：他又快要成功了。

老板：是的。在他的管理下，公司得到快速发展。同时，他也得到老板的重用。

记者：他又做了总经理。

老板：对，他又坐到了总经理的位子上。两年以后，他又成为企业界的富豪。

记者：这位企业家从穷到富，又从富到穷，然后又重新富起来。他再次成功了。

老板：他的每一次成功或失败，都好像是大江中的自然起伏，而生命的价值就在这一次次的起伏中实现。

记者：实现生命的价值，这就是您原来说的生命的过程吗？

老板：是的。所以生意人很少问自己为什么活着，因为生意本身就是答案。只要每天在做，生命就存在，就有意义，就有结果。

生词

1. 算账		suàn zhàng	to do accounts; make out bills	
2. 隔壁	（名）	gébì	next door	乙
3. 挑担货郎		tiāodàn huòláng	street vendor carrying a shoulder pole	
4. 挑	（动）	tiāo	to carry on the shoulder with a pole; shoulder	乙
5. 货	（名）	huò	goods	乙
6. 大街小巷		dàjiē xiǎoxiàng	streets and lanes	
7. 伴随	（动）	bànsuí	to accompany; follow	丁
8. 当初	（名）	dāngchū	beginning time when sth. happened	丙
9. 白手起家		bái shǒu qǐ jiā	to start from scratch; be self-made	
10. 乐趣	（名）	lèqù	delight; pleasure	丁
11. 创业	（动）	chuàngyè	to start an undertaking	丁
12. 破产	（动）	pòchǎn	to go bankrupt	丙
13. 求职		qiú zhí	to apply for a job	
14. 总经理	（名）	zǒngjīnglǐ	general manager	
15. 可惜	（形）	kěxī	it's a pity	丙
16. 一再	（副）	yízài	time and again; again and again	丙
17. 清洁工	（名）	qīngjiégōng	(office)cleaner	丙
18. 悄悄	（副）	qiāoqiāo	secretly; on the quiet	乙

19. 压	（动）	yā	to press	乙
20. 管理	（动）	guǎnlǐ	to manage; administer	乙
21. 重用	（动）	zhòngyòng	to assign sb. to a key post	
22. 企业界	（名）	qǐyèjiè	business circles	乙
23. 富豪	（名）	fùháo	rich and powerful people	
24. 起伏	（动）	qǐfú	to rise and fall; undulate	丁
25. 价值	（名）	jiàzhí	value	乙
26. 实现	（动）	shíxiàn	to realize; achieve; bring about	甲

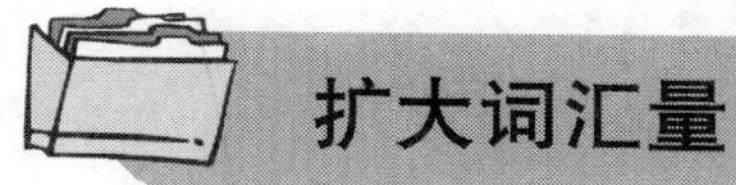

扩大词汇量

1. 从课文里找出一些与做生意有关的词语，说出它们的含义。

2. “企业家”中的“家”是什么意思？再说出一些带有“家”字的短语。

3. “企业界”中的“界”是什么意思？再说出一些带有“界”字的短语。

4. “清洁工”中的“工”是什么意思？再说出一些带有“工”字的短语。

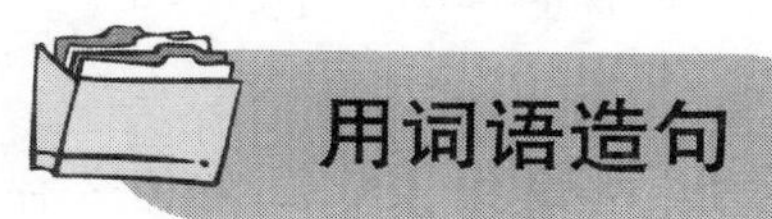

用词语造句

1. 算账

例：有一户人家，生意做得很大，每天晚上算账算到很晚才能睡觉。

2. 伴随

例：对于一个真正的老板，生意是一种生活方式，伴随他一生。

3. 当初

例：有一天，他突然想，我当初自己白手起家时是多么有乐趣。

4. 一再

例：他一再跟这家公司的老板说自己是来求职的。

5. 实现

例：实现生命的价值，这就是你原来说的生命的过程吗？

语言点

1. 至于

转换话题，引进另一件事（“至于”后的名词、短语等是话题，后面常有停顿）。

例：至于结果，反而退到了次要位置。

他一再跟这家公司的老板说自己是来求职的，至于求什么职，干什么都可以，并不一定要当总经理。

根据下面各句的意思，用“至于”造句：

(1) 他说的是很有道理，如果让他去做，那就不一定了。

(2) 我的意见就是这样的，那么你，你认为怎么样好就怎么样做吧。

(3) 我认为这个计划可以解决一些问题，但是能在多大程度上解决问题，目前还不好说。

2. 反而

表示跟前文意思相反或出乎意料，在句中起转折作用。

例：至于结果，反而退到了次要位置。

根据下面各句的意思，用“反而”造句：

(1) 雨不但没停，而且越来越大了。

(2) 老刘的年纪最大，但是却比年轻人干得还多。

(3) 我们正想让他来帮忙的时候，他却请假走了。

(一) 说一说

1. 你认为工作的乐趣是什么？

2. 课文（一）中说的那个挑担货郎变成大生意人后，还是那么快乐吗？为什么？说一说你的看法。

3. 课文（二）中说的那个企业家成功以后，为什么还要再创一次业？如果你是那位企业家，你会这样做吗？为什么？说一说你的看法。

4. 说一说你第一次得到工资时，你用它都做了些什么？

5. 你在工作中有没有碰到过什么困难？你最后是怎么克服的？

6. 是否有什么人在工作中帮助或鼓励过你？他/她是怎么帮助或鼓励你的？结果怎么样？

7. 你认为什么东西是可以“伴随”人的一生的？

8. 你是否曾经去“求”过“职”？说一说当时的情景。

9. 你是否同意“干什么都要干得最好”的说法，为什么？

10. 一个有“管理才能”的人应该是什么样的人？你认为你的班上有没有这样的人？

（二）情景会话

1. 挑担货郎变成大生意人以后，生活完全改变了。有一天，他到隔壁去和给过他钱的那家大生意人谈起了他现在的快乐与烦恼。

一位同学扮演挑担货郎，另一位同学扮演大生意人，完成对话。

主要词语及格式：

当初；乐趣；变成；烦恼；实现；破产

表示希望：

盼望
能……就好了/该多好啊
真想再……
一心……
连……也……

表示解释：

为了……，才……
没有……意思

内容提示：

挑担货郎：

(1) 跟大生意人家的丈夫和妻子打招呼。

(2) 告诉大生意人自己现在也成了大生意人，而且每天晚上算账算到很晚。

(3) 告诉大生意人自己是怎样用他们给的钱把生意做大的。

(4) 告诉大生意人自己原来做挑担货郎时总希望有一天能变成一个大生意人。

(5) 告诉大生意人自己的生意做大以后，有很多的快乐，比如认识了更多的人，去了更多的地方等等。

(6) 告诉大生意人现在钱赚多了，烦恼也多了，比如担心自己破产，担心自己失败等等。

(7) 告诉大生意人其实自己心里一直希望自己是一个挑担货郎。

大生意人：

(1) 问一问挑担货郎现在生活得怎么样。

(2) 告诉挑担货郎听说他的生意做得很好。

(3) 告诉挑担货郎自己不明白为什么他原来赚钱不多却那么快乐。

(4) 告诉挑担货郎他们不喜欢总是听见他唱歌，所以才送钱给他。

(5) 问挑担货郎他生意做大以后快乐不快乐。

(6) 告诉挑担货郎自己希望他常常来和自己谈谈话。

2. 再次创业的企业家又一次成功之后，他和妻子谈起了他们再次创业的过程，他的妻子开始时很不理解，但后来慢慢理解他了。

一位同学扮演企业家，另一位同学扮演他的妻子，完成对话。

主要词语及格式：

撒（了）谎；破产；创业；白手起家；实现……价值

表示解释：

没有……，只是……
是……，才……
……，其实……
不是不……，是……

内容提示：

企业家：
(1) 向妻子解释当初说自己破产了是撒谎。
(2) 向妻子解释说自己破产了是想再一次创业。
(3) 向妻子解释自己想再一次创业，是为了找到白手起家时的乐趣。
(4) 告诉妻子自己对生命的价值和生命的过程的看法。
(5) 感谢妻子对自己的支持。
(6) 告诉妻子不愿意第三次创业了。

妻子：
(1) 告诉丈夫自己不明白他为什么要撒谎。
(2) 告诉丈夫自己不明白为什么他想要变成一个穷人。
(3) 告诉丈夫自己曾经担心丈夫是否能吃得了苦。
(4) 告诉丈夫自己认为生命的价值和过程与赚钱没有关系。
(5) 告诉丈夫自己虽然不太理解，但却支持他。
(6) 问丈夫还想不想第三次创业。

(三) 讨论

1. 工作对你意味着什么？

2. 你认为哪种工作是最令人满意的工作？

3. 怎样才能"实现生命的价值"？

副课文

两个生活经历各不相同的人在一起谈工作在他们生活中扮演的是什么角色。他们的态度正像我们所看到的，非常不一样。

记　者：费先生，你是一个会计，你的工资应该说是相当高了，你可以过很舒适的生活。那么，工作对你意味着什么？

费先生：我认为工作是达到目的的方式。总的来说，我是个注重家庭的人，只要我有一份工作，我的工资能让我过不错的生活，我就满足了。

记　者：这么说，你对你现在的生活很满意了？

费先生：是的。我认为所谓舒适的生活就是有一个有规律的工作和一年三个星期的假。

记　者：照你这么说，你并不在意为了生活你做什么工作？

费先生：我不是这个意思。我有我的想法，比如，我不想成为一个体力劳动者。我十分喜欢我的职业，但喜欢也是有条件的，无论什么情况下，我的工作都不能影响我的生活。只要我一到家，我马上就会忘掉办公室。我觉得你可能会以为我工作是为了生活。

记　者：贝小姐，作为一名中学老师，你怎样看费先生对工作的态度？

贝小姐：我个人认为，我不是那种工作为了生活的人。我必须对我的工作感兴趣，哪怕工资很低，我也不在乎。否则，我认为工作不值得去做。

费先生：当然了，贝小姐，你有很长的假期，这对于你的低工资是一个补偿。另外，你还没结婚，所以你不必为家庭操心……

贝小姐：这和是否结婚没有关系。即使我已经结婚了，我仍然要做有意思的工作。

记　者：这就是说，贝小姐，工作在你的生活中非常重要，是吗？

贝小姐：是这样。它给我精神上的满足，并给我一个社会位置。跟费先生的观点相反，我要说我生活是为了工作。

在老师的帮助下学习生词：

扮演	bànyǎn	舒适	shūshì
角色	juésè	注重	zhùzhòng
会计	kuàijì		

功能练习

一、表示判断、推测

1. 例：这么说，你对你现在的生活很满意了？　　（这么说，……）

   在下面的情景中……

   （1）你想向你的朋友借钱，可是，他却总是说最近生意不好做，你想，他可能是不愿意借给你钱。你说：

   （2）你很想学医，可是你的父母却一再告诉你学医怎么怎么辛苦，你想他们可能是不想让你学医。你说：

2. 例：照你这么说，你并不在意为了生活你做什么工作？

   （照你这么说，……）

   在下面的情景中……

   （1）你请你的朋友帮忙搬家，可偏偏搬家那天天气不好，你的朋友一再跟你强调可能会下雨，你想他可能今天不能来帮你搬家。

你说：

(2) 你感冒了，可是明天还有一个考试，你去看医生，医生让你在床上躺两天，你想医生可能不会让你参加这次考试。你说：

3. 例：这就是说，贝小姐，工作在你的生活中非常重要，是吗？

（这就是说，……）

在下面的情景中……

(1) 刚到中国，你的朋友就告诉你中国的小商贩很厉害，你想，你最好先学会怎样讨价还价。你说：

(2) 你花了2000块钱买了一台电脑，你的朋友看了以后告诉你，这台电脑不能用，你想，你的这2000块钱是白花了。你说：

二、表示承诺

1. 例：只要我有一份工作，我的工资能让我过不错的生活，我就满足了。
只要我一到家，我马上就会忘掉办公室。

（只要……，就……）

在下面的情景中……

(1) 你向朋友承诺，你答应的事一定办到。你说：

(2) 父母向你承诺，只要你努力考上大学，就带你去旅游。父母说：

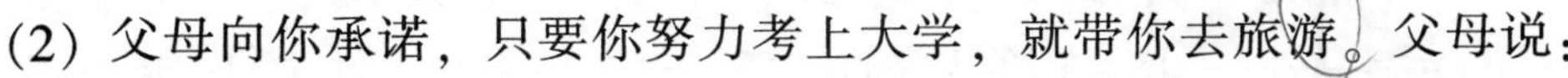

2. 例：无论什么情况下，我的工作都不能影响我的生活。

（无论……，都……）

在下面的情景中……

(1) 你向老板承诺，你一定会按时完成任务。你说：

(2) 你向老师承诺，遇到什么困难，你都能克服。你说：

3. 例：哪怕工资很低，我也不在乎。 （哪怕……，也……）

在下面的情景中……

(1) 你向你的朋友承诺，你一定会去医院看他。你说：

(2) 你向你的男/女朋友承诺，你一定会一辈子爱他/她。你说：

北京和上海

主课文

北京和上海是中国最大、最重要的两个城市，一个有800年历史，一个是有名的“东方巴黎”，在这里生活着谜一般的北京人和上海人。你听，有两个人在谈论这两个城市……

甲：你一定听过“不到北京不知道官小”这句话吧。

乙：是啊。首都嘛，政府机关那么多，长期生活在国家权力中心，离权力近，所以北京人自然地有一种“中心感”。

甲：外地朋友到北京，印象最深的就是北京人“说政治”的热情。一个出租车司机，和你一聊天儿，一定会让你大吃一惊。从领导人到普通老百姓，从国家大事到家庭小事，他都能跟你一聊好半天。

乙：关起大门过好自己的小日子，北京人是不会满足于这种生活的，他们认为，作为“首都人”，关心政治是当然的，哪怕政治不一定直接影响自己的命运。

甲：上海人就不同了，他们不大爱谈政治，只是认真做生意、过日子。

乙：再拿乘坐公共汽车来说。北京的做法是车一来，大家抢着上，然后由售票员在车上大声喊：“哪位乘客给这位大爷让个座儿！同志们，一个人做点儿好事并不难，只要站起来就行了。”

甲：有没有用呢？

乙：全靠自觉了。

甲：上海的做法是在起点站设“坐队”和“站队”，请退休工人来看着，谁坐谁站，全看排队的先后，人人平等，需要重点照顾的残疾人、老年人会被安排到“坐队”的前面。

乙：这样看来，北京的做法靠道德，靠人情、礼貌。

甲：上海的做法靠科学。

乙：再拿花钱来说吧。去年，我到上海一位朋友那里去做客。朋友很热情，花了一千多块钱。一天到电视塔去玩儿，出了电视塔，已经是下午五点多了，累了，也饿了。我们干脆就去“打的”。司机要15块钱，朋友只想给10块钱，结果一连好几辆都没谈成。我心里就有点儿着急了，心里说：不就是差5块钱吗？

甲：这就是南方人和北方人的区别。北方人习惯于算大钱，不算小钱。南方人算大钱，也算小钱。

乙：结果，我的那位朋友说：“你们北京人呀，该花钱时花，不该花时也花；有时候，该花时不花，不该花时倒花。我们南方人呢，不该花的钱，一分也不想掏。”

甲：有一个公司的总代理到北京某厂去加工一批活儿。计算一下，那个厂可以赚5000块钱。那个厂的厂长一听就摇了头，说：“这么少，不如闲着——”

乙：送来的钱都不要。

甲：后来，那个总代理赶紧跑到上海的一个厂，一谈就成了。厂长还一再感谢，并笑着说：“我们厂子小，也得给工人发工资。再说，这次少挣点儿，下次有大活儿，你不就想着我们了？”

乙：上海人真会做生意！

甲：不像北京人，大钱挣不来，小钱还不挣。

乙：我有一个上海同学，是这样一个人：穿得很整洁，总是一个人，从来不和同学一起看电影、吃饭，不愿意随便请客花钱；他从来不说别人不好，也不露个人隐私，对所有的同学态度都一样。开始，别人很不喜欢他，但时间长了，别人却感到跟他在一起比较轻松和安全。

甲：其实，上海人并不是像人家说的那么不容易交朋友，他们有他们的“规则”。有一位上海女学生参加一群北京青年的郊游。郊游结束后，她把自己所吃的面包、汽水、冰棍等的钱一起交给了北京朋友，北京朋友为此很生气。

乙：是啊。上海人经济上的独立意识经常被误以为是北京人所说的“小家子气”。

甲：还有一位毕业后到北京工作的上海姑娘。邻居看她总是一个人，就经常请她到家里来吃饺子。后来，北京的这家女主人发现了“规律”：每次请她吃过饭之后，她总要送一些上海豆腐干儿、香肠什么的“小礼品”。

乙：上海人的懂礼貌，在北京就意味着小心眼儿。

甲：要说懂礼貌，北京人说话那才叫讲究呢。同样是问岁数，“你几岁？”“你多大了？”“您多大年纪了？”“您高寿了？”对不同的人问法不一样。而在上海不管问谁，都是“侬几岁？”

乙：说到上海话，你觉得上海话好听吗？

甲：好听呀，就是太难懂了。

生　词

1. 谜	（名）	mí	riddle	
2. 机关	（名）	jīguān	government office; organ	乙
3. 自然	（形）	zìrán	natural	乙

4. 大吃一惊		dà chī yì jīng	to be startled at	
5. 设	（动）	shè	to set up；establish；found	丙
6. 残疾	（名）	cánji	disability	丁
7. 靠	（动）	kào	to depend on；rely on	乙
8. 人情	（名）	rénqíng	human nature；human feelings	丁
9. 干脆	（形）	gāncuì	simply; just	乙
10. 一连	（副）	yìlián	in a row；in succession	丙
11. 掏	（动）	tāo	to draw out；pull out；fish out	乙
12. （总）代理	（名）	(zǒng)dàilǐ	(general) agent	丙
13. 加工		jiā gōng	to process	乙
14. 批	（量）	pī	batch；lot；group	乙
15. 赶紧	（副）	gǎnjǐn	losing no time；hastily	乙
16. 竟然	（副）	jìngrán	to one's surprise；unexpectedly	丙
17. 隐私	（名）	yǐnsī	private matters one wants to keep to oneself	
18. 意识	（名、动）	yìshi	consciousness; to realize	丙
19. 豆腐干儿	（名）	dòufugānr	dried bean curd	
20. 侬	（代）	nóng	<dial.> you	

注　释

关起大门过好自己的小日子　guānqǐ dàmén guòhǎo zìjǐ de xiǎo rìzi　only care about the easy life of one's own small family

小家子气　xiǎo jiāziqì　mean; narrow-minded

小心眼儿　xiǎo xīnyǎnr　narrow-minded; petty

扩大词汇量

1. “国家大事”和“家庭小事”两个短语是什么关系？说出其他一些类似的词语。

2. “总代理”中的“总”是什么意思？再找出其他一些带“总”字的词语。

用词语造句

1. 靠

例：这样看来，北京的做法靠道德，靠人情、礼貌。

2. 一连

例：结果一连好几辆都没谈成。

3 赶紧

例：后来，那个总代理赶紧跑到上海的一个厂，一谈就成了。

4. 意识

例：上海人经济上的独立意识经常被误以为是北京人所说的“小家子气”。

1. ……嘛

① 助词。用在陈述句末，表示理应如此或事实显而易见。整个句子的目的是用来解释或告诉别人一个道理。

例：其实每个城市都有自己的特点嘛。

根据下面各句的意思，用“嘛”造句：

（1）你为什么着急，其实你不用着急。

（2）因为人多力量才大呀。

（3）因为生活就是这样的呀。

② 助词。用在句中，表示停顿，点出话题。

例：首都嘛，政府机关那么多，长期生活在国家权力中心，离权力近，所以北京人自然地具有一种“中心感”。

根据下面各句的意思，用“嘛”造句：

（1）因为是学生，所以要以学习为主。

(2) 因为是太阳，所以总要发光发热。

(3) 因为是科学，所以就得实事求是。

2. 哪怕

连词。表示假设兼让步。后边多用“都、也、还”等。

例：他们认为，作为“首都人”关心政治是当然的，哪怕政治不一定直接影响自己的命运。

根据下面各句的意思，用“哪怕”造句：

(1) 即使明天下雨，也要去。

(2) 即使病了，他也坚持天天看书看报。

(3) 即使没事，他也不闲着。

练习

(一) 说一说

1. 你现在在哪座城市学习、生活？说一说你对这座城市和这座城市里的人们的看法。

2. 在你的国家有哪些较大的城市？说一说这些城市以及住在这些城市里的人们的特点。

3. 你从哪儿来？谈谈你的家乡和你家乡的人。

4. 你觉得你更像中国的南方人还是北方人？为什么？试举例说明。

（二）情景会话

1. 一个上海人在北京生活了一段时间后，向他的一位北京朋友诉说自己在和北京人相处时发生的一些误会……

一位同学扮演上海人，一位同学扮演北京人。扮演上海人的同学尽量说出自己的真实想法，扮演北京人的同学帮“上海人”解释产生误会的原因。两人商量出一个消除误会的办法。

主要词语及格式：

对……很有热情；有“中心感”
小家子气；道德；重视；看重

表示不理解：

为什么/干吗
真让人糊涂
纳闷
不明白
怎么总是……呢？

内容提示：

上海人：

(1) 告诉北京人，自己不明白为什么北京人那么爱说政治。
(2) 告诉北京人，自己不明白为什么在北京坐公共汽车不排队。
(3) 告诉北京人，自己不明白为什么北京人不算小钱。
(4) 告诉北京人，自己不明白为什么北方人那么喜欢花钱请客。
(5) 告诉北京人，自己不明白为什么北京人觉得上海人“小家子气”。
(6) 告诉北京人，自己觉得人和人相处产生误会时应该好好谈一谈。
(7) 告诉北京人，自己觉得要尊重对方的行为方式，这样才能减少误会。

北京人：

(1) 告诉上海人，北京人爱说政治是因为他们生活在权力中心。
(2) 告诉上海人，北京人不排队是因为北京人更看重道德。

(3) 告诉上海人，北京人不算小钱是因为北京人觉得有比钱更重要的东西。

(4) 告诉上海人，北京人喜欢花钱请客是重视友谊的表现。

(5) 告诉上海人，北京人更看重人情，不太看重钱。

(6) 告诉上海人，北京人也同意产生误会时应该解释清楚。

(7) 告诉上海人，北京人也同意要先了解对方的行为方式。

2. 一位上海女学生参加一群北京青年的郊游，郊游结束后，她把自己所吃的面包、汽水、冰棍等的钱一起交给北京朋友，北京朋友为此很生气。

一位同学扮演上海女学生，另一位同学扮演北京朋友，完成对话。

主要词语及格式：

开心；规则；经济上；独立意识；小家子气；小心眼儿

表示责怪：

你可真……啊
你也太……了
怎么这么/那么……

表示拒绝：

用不着
我说了不算
少来这一套（生气地拒绝）

内容提示：

上海女学生：

(1) 告诉北京朋友，自己玩儿得很高兴。

(2) 问北京朋友谁是这次郊游的组织人。
(3) 把自己所吃的面包、汽水、冰棍等的钱交给北京朋友。
(4) 请北京朋友不要生气。
(5) 告诉北京朋友，自己付自己的钱是上海人的“规则”，并坚持付钱。
(6) 告诉北京朋友，如果他不收，自己会把钱交给别人。
(7) 再次请北京朋友不要生气，并告诉他这并不表示说自己不喜欢他们。

北京朋友：
(1) 问上海女学生玩得怎么样。
(2) 告诉上海女学生自己是这次郊游的组织人。
(3) 对上海女学生的这种做法表示责怪。
(4) 拒绝，并责怪上海女学生，这样做是不喜欢和他们在一起玩儿。
(5) 告诉上海女学生，在北京就应该按北京人的习惯，并坚持不收钱。
(6) 告诉上海女学生，这次收下她的钱，下次就不要再这样做了。
(7) 表示自己不再生气了，并邀请上海女学生下次再一起玩儿。

(三) 讨论

1. 一个人到另外一个城市或国家生活，是否要按当地的习惯处理事情。

2. 两个不同文化背景的人在一起，若想和睦相处，最重要的是什么？

副 课 文

如果你想继续了解南方人和北方人的不同，请看下面的一段相声。

甲：我来说说南方人和北方人的区别，你看怎么样？
乙：好啊，你说说，我听听。
甲：南方人遇见南方人，一定会问：“兄弟哪里发财？”
乙：可不是，南方人做生意的多，发财没发财是很重要的。

甲：北方人遇见北方人，一定会说："哥们儿在哪儿混？"

乙：没错，北方的小伙子们一见面就成了朋友。

甲：南方男人管朋友的父母叫"叔叔""阿姨"。

乙：那当然，他们看重的是双方父母的关系嘛。

甲：北方男人管朋友的父母叫"咱爸""咱妈"。

乙：那还用说，他们看重的是自己与朋友的关系。

甲：南方女人称公公为爷爷，随着儿子叫；北方女人称公公为爸，随着丈夫叫。

乙：没错。

甲：南方人中男人挣钱比女人多，所以女人有依附感；北方人中，男人挣钱跟女人差不多，所以女人有平等感。

乙：说的是，经济基础是最重要的嘛。

甲：20岁的北方人想交朋友，他会说："我是一个20岁的男孩子，喜欢唱歌打球听音乐。"

乙：可不，这才叫生活呢。

甲：20岁的南方人想挣钱，他会说："我是个男人，20岁，有力气，会打家具、砌墙，还能干点儿油漆活。"

乙：那还用说，养家就是男人的事嘛。

甲：北方人工作的时候爱跟同事说："我媳妇可疼我了。"

乙：可不，和同事聊聊自己的爱人有什么不好？

甲：南方人聊天时跟媳妇说："我们领导真烦人。"

乙：哎，哪有这样背后说领导的？

甲：南方人、北方人去动物园看孔雀，北方人会说："开屏时一定好看。"

乙：是这样。那南方人会怎么说？

甲："脱了毛绝对比鸡不如。"

乙：你说的也太离谱了。

甲：做生意的南方人去北方，怕被打。

乙：做生意就做生意吧，怎么能打人呢？

甲：做生意的北方人去南方，怕被骗。

乙：我不这样认为，在南方做生意的北方人并不少，都被骗了吗？

甲：总的来说，南方人是经济人，北方人是文化人。

乙：你这样说，我完全同意。

在老师的帮助下学习生词：

混	hùn	背后	bèihòu
看重	kànzhòng	孔雀	kǒngquè
依附	yīfù	开屏	kāi píng
砌	qì	脱毛	tuō máo
油漆	yóuqī	离谱	lípǔ

功能练习

一、表示同意、赞成、附和

1. 例：可不是，南方人做生意的多，发财没发财是很重要的。

　　可不，和同事聊聊自己的爱人有什么不好？（可不/可不是……）

在下面的情景中……

（1）你的同屋嫌隔壁的音乐声音放得太大，影响休息。

　　你表示同意，并提出一个建议：

（2）你的朋友觉得今天的天气不好。

　　你表示同意，并建议今天哪儿也不去，就在房间里待着：

2. 例：没错，北方的小伙子们一见面就都成了朋友。 （没错，……）

在下面的情景中……

(1) 一个小学生问你5加7是不是等于12。

你表示同意，并夸奖他肯动脑子：

(2) 商场里，你看到了一副窗帘，你觉得它很难看。

你的朋友附和：

3. 例：那当然，他们看重的是双方父母的关系嘛。

那还用说，他们看重的是自己与朋友的关系。

（那当然/那还用说……）

在下面的情景中……

(1) 你的朋友建议等你考完试以后，一定要开一个晚会。

你表示赞成：

(2) 你的朋友还建议这个晚会应该热闹一点儿。

你表示赞成，并表示要邀请你所有的朋友都来：

4. 例：说的是，经济基础是最重要的嘛。 （说的是，……）

在下面的情景中……

(1) 你的朋友想先工作两年，然后再考研究生。

你表示同意这个想法：

(2) 你的父母告诉你，如果想学地道的汉语就要去中国学。

你表示同意：

5. 例：你这样说，我完全同意。 （完全同意……）

在下面的情景中……

(1) 你赞成张先生的分析：

(2) 你同意李小姐的看法：

二、表示反对、不赞成、不同意

1. 例：你说的也太离谱了。 （太离谱了）

在下面的情景中……

(1) 你的朋友认为你这次考试能进入前三名。

你认为这种看法太不符合实际情况，表示反对：

（2）一般做中国菜的方法是先放油，再放菜；你却非要先放菜，再放油。你妈妈认为你的做法太奇怪，表示反对：

2. 例：做生意就做生意吧，怎么能打人呢？　　（怎么能……）

在下面的情景中……

（1）你不同意小张出国考察，因为你觉得他不懂这方面的工作。你说：

（2）你不同意让小李负责这件事，因为他身体不太好。你说：

3. 例：哎，哪有这样背后说领导的？　　（哪有……的）

在下面的情景中……

（1）你不赞成你的同屋“开夜车”，你认为他应该休息一天。你说：

（2）你不赞成你朋友处理问题的方式，你认为这样处理问题太简单。你说：

第五课

饮食与健康

主课文

如果有人问你："你会吃吗？"你一定觉得奇怪：谁不会吃呢？如果再问你："怎样吃更科学呢？"你可能就得想一想了。你听，厨房里，妈妈和女儿正在做饭……

女儿：哟，妈，你买的都是什么菜呀？我看看，嗯……白菜、青椒、菜花、黄瓜、萝卜、葱……这么多菜，能吃好几天了。

妈妈：你先别动它们，听我告诉你怎么做。青椒、菜花、黄瓜、萝卜、葱这些都是今天要吃的，你把它们拿出来，放到水池里，都洗好；白菜是留着明天吃的，你把它拿出来，就放在地上吧。

女儿：好，我来帮你。哎，这棵白菜外边的叶子都有点儿发黄了，干脆剥下来扔了吧。

妈妈：先别剥。不剥外边的叶子，对留住白菜的营养有好处。所以，今天不打算吃白菜，就不要现在整理。

女儿：那我现在就把青椒和菜花切成小块吧。

妈妈：别这么早就切。你记住，所有的蔬菜都是先洗后切。这样，菜里的营养才不至于随着水流走。你先把青椒掰开，把里面的籽儿扔掉，然后洗菜花。

女儿：好。妈，这儿还有黄瓜和萝卜呢，我也洗好了。

妈妈：青椒和菜花咱们一会儿把它们炒了，黄瓜和萝卜生吃怎么样？

女儿：又生吃！妈，你这次从美国我哥哥那儿回来，有一个大变化，就是敢吃生蔬菜了。原来你可是一点儿也不能吃生蔬菜的呀！

妈妈：是啊，我得了几十年的胃病，看过那么多的医生，没有一个不告诉我不要吃"生、冷、硬、辣"的。

女儿：那您是怎么开始吃生蔬菜的？

妈妈：有一次，我去看一个艺术展览会，看完已经很晚了，午饭只好在外面吃。可是一下子又找不到中餐馆，西餐店里没有热菜，看着那些冰凉的三明治、蔬菜沙拉、水果和饮料，我真想饿一顿算了。可是，那天因为出门早，急急忙忙的，早餐又吃得少，我害怕因为太累头晕，就自己劝自己："还是吃一点儿吧，总比手脚发软，眼睛发黑强。"

女儿：您就开始吃生蔬菜了？

妈妈：我下了决心，挑了一盘生蔬菜，加了一些沙拉酱。因为我吃的是冷菜冷水，我一吃完，马上想从包里找胃药。可是我一摸，没有药。

女儿：您忘了带药？

妈妈：原来，为了放照相机，我换了个大包，忘了带药。

女儿：哟，那怎么办呢？赶紧买一点儿药吧。

妈妈：哪有那么容易，药是随便买的吗？我当时怕极了，整个一下午，我都在担心，一直怕犯病。可是没想到胃一点儿也没疼。当时，我没有去仔细想为什么，只是觉得老天爷照顾我。

女儿：看来吃生蔬菜不必那么紧张。

妈妈：以后，我看见你哥哥、嫂子吃生蔬菜和水果沙拉，我也忍不住试着吃一点。开始他们很担心，看我吃了没犯病，就逐渐鼓励我多吃一些。结果，胃病不仅没有加重，反而越来越轻了。

女儿：所以吃生蔬菜对胃没有坏处，是吗？

妈妈：对。好了，锅热了，你来炒菜花吧。先把葱切成小块，再往锅里放一点儿油。

女儿：妈，你应该把你吃生蔬菜治好了胃病的经验告诉别的人。

妈妈：对，回国以后，我一见到同事、朋友就说呀：你看我已经养成吃生蔬菜的习惯了，吃生蔬菜真是比吃药好……哎，油热了，快把葱放进去吧。

女儿：油热了吗？才烧了那么一会儿。

妈妈：记住，炒菜的时候，不要把油烧得满屋子都是油烟，这样做没有好处。

女儿：好，那我往锅里倒菜了。

妈妈：把火开大一点儿，大火快炒，这样菜里的营养损失就少。

女儿：现在放盐吗？

妈妈：再呆一会儿，等到出锅的时候再放盐。因为菜的含水量大多在90%以上，放盐以后，菜里的水就会向外渗，菜就不好吃了。

女儿：妈，你的讲究怎么那么多呀！

妈妈：这叫科学，知道吗？好了，这个菜你别管了，别的菜也由我来做，你去把我买的那些水果洗一洗。吃饭前，咱们一个人吃一个苹果。

女儿：我听说现在流行“水果餐减肥法”，就是一天三顿饭都用水果代替，不吃饭。

妈妈：一日三餐，如果只有一餐用水果代替，倒还没有什么问题。如果天天只吃水果，时间长了一定有问题。另外，你知道吗，水果也分寒性、热性、温性，凉性等等。不同的人，不同的季节，不同的时间应该吃不同的水果……

女儿：这么多讲究呀！

（选自王统正《烧菜有讲究》，原载《营养天地》，有删改）

生词

1. 白菜	(名)	báicài	Chinese cabbage	乙
2. 青椒	(名)	qīngjiāo	green pepper	
3. 菜花	(名)	càihuā	cauliflower	
4. 萝卜	(名)	luóbo	radish	乙
5. (水)池	(名)	(shuǐ)chí	pond; pool	丙
6. 剥	(动)	bāo	to peel	丙
7. 营养	(名)	yíngyǎng	nutrition; nourishment	乙
8. 掰	(动)	bāi	to break off with the fingers and thumb	丁
9. 胃	(名)	wèi	stomach	乙
10. 三明治	(名)	sānmíngzhì	sandwich	
11. 沙拉	(名)	shālā	salad	
12. 沙拉酱	(名)	shālājiàng	salad cream	
13. 犯(病)	(动)	fàn(bìng)	have an attack of one's old illness	乙
14. 油烟	(名)	yóuyān	lampblack	
15. 损失	(动、名)	sǔnshī	to lose; loss	乙

注释

老天爷	Lǎotiānyé	God; Heavens

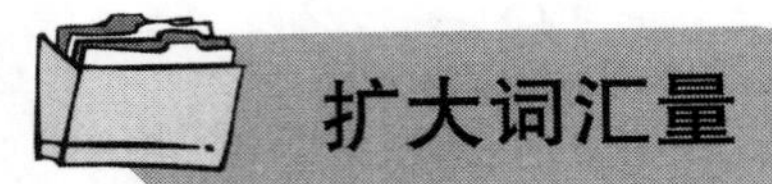

扩大词汇量

1. “发黄”“发软”“发黑”中的“发”是什么意思？再说出一些带有“发”字的类似短语。

2. “寒性”“热性”“温性”“凉性”中的“性”是什么意思？再说出一些带有“性”字的类似短语。

3. “含水量”中“含……量”是什么意思？再说出一些带有“含……量”的类似短语。

4. 除了课文中提到的一些蔬菜外，借助词典，再说出其他一些蔬菜的名称。

5. “切”“扔”“剥”“掰”“摸”“裹”等动词表示的各是什么动作？借助词典，再说出其他一些表示动作的动词。

6. 除了课文中提到的“胃病”以外，再说出其他一些疾病的名称。

7. 说出你所知道的饮料的名称。

用词语造句

1. 留着

例：白菜是留着明天吃的，你把它拿出来，就放在地上吧。

2. 好处

例：不剥外边的叶子，对留住白菜的营养有好处。

3. 算了

例：看着那些冰凉的三明治、蔬菜沙拉、水果和饮料，我真想饿一顿算了。

4. 下决心

例：我下了决心，挑了一盘生蔬菜，加了一些沙拉酱。

5. 不必

例：看来吃生蔬菜不必那么紧张。

6. 犯（病）

例：开始他们很担心，看我吃了没犯病，就逐渐鼓励我多吃一些。

1. ……吧

用在祈使句末尾，表示建议等。

例：哎，这棵白菜外边的叶子都有点儿发黄了，干脆剥下来扔了吧。

根据下列各句的意思，用“……吧”造句：

(1) 我认为我们应该现在就来解决这个问题。

(2) 风这么大，我觉得应该把窗子关上。

(3) 你身体不好，最好还是吃点儿东西。

2. 把……

表示处置，“把”字后的名词是后面动词的受事者。

例：你把白菜外面的叶子剥掉以后，营养容易丢失。

根据下列各句的意思，用“把”字造句：

(1) 我的行李，请你帮我搬到房间里来，行吗？

(2) 你先看完这本书，再跟我谈这个问题吧。

(3) 穿好你的衣服再出去。

（一）说一说

1. 你觉得课文里的妈妈是个什么样的人？你同意不同意她的一些想法和做法？

2. 在你的家里，做饭时有哪些讲究吗？有什么道理吗？

3. 在你的国家，有什么样的饮食习惯？为什么这样？

4. 你认为最有“营养”的食物是什么？为什么？

5. 一个人应该“养成”什么样的“习惯”才对身体有好处？

6. 在你的国家的语言里，是否有一些关于饮食方面的俗语？解释它们的含义。

7. 介绍你的一个拿手菜的做法。

（二）情景会话

1. 甲的朋友是一个在饮食方面非常讲究的人。有一天，他请甲到他的家里吃饭，他告诉甲他经常吃什么菜，怎么做菜，吃饭时先吃什么，后吃什么等等，都是有讲究的，而甲却觉得这样吃饭太麻烦了。

一位同学扮演甲，一位同学扮演甲的朋友，完成对话。

主要词语及格式：

讲究；科学；营养；养成……习惯

表示告诫：

千万不能……
一定要……

表示不必：

有这个必要吗？
不一定非……不可
干吗要……

内容提示：

甲：

(1) 夸朋友做的菜味道好。
(2) 告诉朋友，听说胡萝卜不容易做得很好吃。
(3) 不同意朋友的看法（表示不必），并认为炒胡萝卜不一定要放很多的油。
(4) 看到桌子上有很多生蔬菜，感到奇怪，问朋友为什么准备那么多生蔬菜。
(5) 告诉朋友自己有胃病，不敢吃生蔬菜。
(6) 对朋友的说法表示怀疑（表示不必），并告诉朋友有很多人不吃生蔬菜，胃也一样好。
(7) 告诉朋友，自己认为既要重视营养，又要重视味道。
(8) 邀请朋友下次到自己家去吃饭。

甲的朋友：

(1) 请甲品尝自己的拿手菜——炒胡萝卜。

(2) 告诉甲炒胡萝卜时应该用很多的油，这样炒出来才好吃。

(3) 告诉甲炒胡萝卜多放油才有营养，这是科学家说的。

(4) 告诉甲最近流行吃生蔬菜。

(5) 告诉甲，据科学家研究吃生蔬菜可以治胃病。

(6) 告诉甲，自己做菜的方法很科学，所以菜很有营养。

(7) 对甲说的表示同意。

(8) 告诉甲非常愿意接受他/她的邀请。

2. 在美国，儿子陪着妈妈去看一个艺术展览会，午饭只能在外面吃。妈妈不要吃西餐，因为她有胃病，儿子劝妈妈吃一点儿。

一位同学扮演妈妈，一位同学扮演儿子，完成对话。

主要词语及格式：

凉；犯病；老毛病；怕；对……没有好处；累；晕

表示建议：

是不是可以……
还是……吧
不妨……
要不/要不然……

表示寻找：

哎？……放哪儿了/哪儿去了
明明……，怎么……了

内容提示：

儿子：

(1) 问妈妈艺术展览会怎么样，并问妈妈是不是饿了。

(2) 问妈妈附近没有中餐馆怎么办。
(3) 看到一家西餐店，问妈妈是不是可以。
(4) 建议妈妈吃一些三明治。
(5) 建议妈妈少吃一点儿，并告诉妈妈离回家还有很长时间。
(6) 给妈妈挑一盘生蔬菜，建议她加一些沙拉酱。
(7) 建议妈妈吃一点儿药。
(8) 劝妈妈别紧张，告诉妈妈马上回家。

妈妈：
(1) 告诉儿子艺术展览会很好，并告诉儿子自己饿了，是否找个地方吃点儿东西。
(2) 告诉儿子自己想找一家中餐馆。
(3) 告诉儿子进这家西餐店试试。
(4) 告诉儿子三明治、蔬菜沙拉、水果、饮料都是凉的，干脆饿一顿算了。
(5) 同意少吃一点儿，因为害怕太累头晕。
(6) 告诉儿子吃完以后胃没觉得怎么样。
(7) 摸一摸包，告诉儿子忘带药了。
(8) 劝儿子别担心。

(三) 讨论

1. 你认为吃生蔬菜是一种科学的饮食习惯吗？为什么？

2. 饮食习惯与健康有没有关系？有多大关系？请举例说明。

副 课 文

甲和乙是大学同学。一天下午，甲到乙的宿舍看望乙。

甲：你怎么了？脸色这么难看！

乙：我不舒服。

甲：你的手老是捂着肚子，怎么回事？

乙：我不但肚子疼得要命，而且想吐。

甲：都病成这样了，怎么不去医院看一看呢？

乙：你倒说说，我哪儿有时间去医院？作业那么多，做也做不完，明天还要考试，小卫还让我后天帮他搬家……我想一定是我昨天晚上吃什么东西吃坏了。

甲：你在饮食上确实有问题，你看看你脸上的疙瘩，我觉得都是因为你不好好吃饭。你老是忙起来就不吃饭。看你脸色这么白，怎么，中午吃饭了吗？

乙：在宿舍里吃了一个面包和一份土豆条。

甲：我看你最好是去学生餐厅吃。

乙：我想我还是自己做饭的好，有时候我去学生餐厅，转了一圈，也看不到有什么让我感兴趣的饭菜。

甲：俗话说："人是铁，饭是钢。"不管好吃不好吃，你都应该去吃嘛。像你这么不注意饮食，会损害身体健康的。

乙：真说不定呢。

甲：我劝你还是自己做饭吧，这样吃得又舒服又卫生。

乙：哎，你看到小卫了吗？我想请你帮个忙，告诉他后天我8点到他那儿。

甲：你呀！病成这样，还想着给别人帮忙。来，喝点儿热水吧。怎么样？现在好点儿了吗？要不要我陪你去医院？

乙：我好一点儿了。

甲：我建议你，后天不要去帮小卫搬家了。

在教师的帮助下学习生词：

捂	wǔ
吐	tù
疙瘩	gēda

"人是铁，饭是钢"是什么意思？你还知道中国哪些关于吃饭的俗语？

功能练习

一、表示关心

1. 例：你怎么了？脸色这么难看！（你怎么了，……）

   在下面的情景中……

   （1）你看见你的同屋在你们的房间外面站着，你表示关心，问同屋是不是忘了带钥匙了。你说：

   （2）你和你的朋友一起吃饭时，他还没吃完饭就跑出去了，你表示关心，问他是不是外面有人等他。你说：

2. 例：你的手老是捂着肚子，怎么回事？（……怎么回事？）

   在下面的情景中……

   （1）你看见你的朋友的手流血了，你表示关心。你说：

   （2）你的同屋晚上 11 点还没回来，你打电话表示关心。你说：

3. 例：看你脸色这么白，怎么，中午吃饭了吗？

   来，喝点儿热水吧，怎么样？现在好点儿了吗？

   （怎么/怎么样 + 疑问句）

   在下面的情景中……

   （1）你的朋友刚到中国来，你对他在生活上是否习惯了表示关心。你说：

(2) 昨天你发现你的朋友情绪不好，你对他现在的情况表示关心。
你说：

二、提建议

1. 例：都病成这样了，怎么不去医院看一看呢？（怎么不……）
在下面的情景中……
(1) 你的同学的身份证丢了，你建议他去办公室问一问。你说：
(2) 你的同屋上课听不懂老师讲的内容，你建议他换班。你说：

2. 例：我看你最好是去学生餐厅吃。
我劝你还是自己做饭吧，这样吃得又舒服又卫生。
（我看你最好是……/我劝你还是……）
在下面的情景中……
(1) 你的朋友身体不好，你建议他在房间里休息。你说：
(2) 你的朋友要去旅游，你建议他先去上海，然后再去广州。你说：
(3) 你的朋友汉语不太好，你建议他找一个辅导老师。你说：

3. 例：我建议你，后天不要去帮小卫搬家了。（我建议你……）
在下面的情景中……
(1) 你的朋友英语很好，你建议他去参加英语演讲比赛。你说：
(2) 你的朋友不舒服，你建议他明天不要参加考试。你说：

你的价值

主课文

（一）

这是一件发生在20多年前的事了。

我是1969年参加工作的，在一个矿的小学校当老师，工资是每月25元。其实我觉得自己每月拿25元钱很好了，工作不太忙，节假日里可以回乡下帮父母做家务，自由地看天看地……

有一天，我跟我老婆吵，她说我每月拿250角钱，没用，是二百五，二百五是骂人的话，我不想做二百五。

第二天，我找到矿领导，要求下井挖矿。当时矿工的工资是每月45元，比做老师整整多了20元。如果我当矿工，家里的经济情况可以好许多，我除了能让孩子吃饱以外，还可以给她买一两件玩具。矿领导不同意，因为找不到上课老师。我一再要求，他只好同意了。

矿工很辛苦，完全是体力活儿。我是个读书人，根本就吃不了这苦，但想到每月可以拿到45元钱，也就下决心干了。

上班第九天，我正在挖矿，矿井塌了，大家拼命地往出口的地方跑。轰隆隆的声音在身后响着。我听到自己一声大叫，这声大叫把我吓坏了，我以为自己完了……等醒来时，已经躺在了医院里，医生说我差一点儿腿就没有了。我高兴得大哭起来，因为我明白，差一点儿我连命都没了。

出了院后，我又找到矿领导，要求重新当老师。矿领导要我给一个合适的理由，我说我的命只值每月25元。

（选自老丁《我值25元钱》，有删改）

（二）

20多年以后，今天的人们怎样看自己呢？下面是“你值多少钱”的电话采访，请看他们的回答：

Sammi　女　28岁　计算机公司客户经理　年薪7万

我值多少钱？不多不少10万正好。（月薪？）当然是年薪啦！20万年薪？不想。（为什么？）女人不能太会赚钱。不然会让男人们感到很难亲近的。再说，赚钱太多的女人就没时间花钱了，实在对不起自己。

可可　女　23岁　记者　年薪3.5万

（笑了）这个问题可有点儿难。我男朋友说我是无价之宝，我爸妈说我值20万。（为什么？）他们说把我养这么大花了20万。我自己？我觉得我不值钱。

郑先生　40岁　心理工作者　年薪不详

值多少钱？没具体想过。我对自己的薪水有个心理价位。（多少？）起码达到中产阶层的收入。市场经济了，薪水的确能用来衡量一个人的专业能力。但是，有时候人的价值是不能只用钱来衡量的。（例如？）比方说，你要当志愿者，奉献自己的能力。当然这是无偿的。

（三）

身边越来越多的东西要用钱来衡量，那么人的价值可以用钱来衡量吗？如果可以，你值多少钱呢？下面是关于“你值多少钱”的讨论：

黄先生：人值多少钱要看以后的发展，就像股票，也许现在不值钱，但以后会很值钱。

徐先生：就是，我觉得现在我还不值很多钱，但以后薪水肯定会比现在高，经验也是一种资本嘛。

吕小姐：以前提出这样的问题，大家会觉得很奇怪，人的价值怎么能用钱来衡量呢？但现在这样问，大家已经觉得很自然了。

徐先生：我觉得价值要比薪水高。因为工作之外也可以创造很多价值。

吕小姐：人值多少钱要看在谁眼里，可能在你眼里一文不值，在别人眼里就是无价之宝了。

黄先生：赚多少钱和自己值多少钱是不是相等？

徐先生：可以划等号。你值多少钱就是通过你赚了多少钱来体现的。

吕小姐：可我觉得不相等。因为不同行业的人体现价值的方法不同，像科学家的价值与他赚的钱就不相等。

黄先生：当然也有例外。一些艺术家的价值到他死了以后才能体现出来，像梵·高那样。

吕小姐：比尔·盖茨是世界首富，那他是不是就能值那么多钱呢？

徐先生：他的确能值那么多钱。

吕小姐：爱因斯坦的贡献那么大，但他的收入却超不过盖茨，是不是他的价值就没盖茨大呢？

徐先生：我想那是因为时代不同，如果在今天，也许爱因斯坦的收入也很高。

生词

1. 矿	（名）	kuàng	mine	乙
2. 自由	（名、形）	zìyóu	freedom; free	乙
3. 挖	（动）	wā	to dig	乙
4. 塌	（动）	tā	to collapse; fall down	丙
5. 轰隆隆	（象）	hōnglónglóng	rumble; roll	
6. 理由	（名）	lǐyóu	reason	乙
7. 年薪	（名）	niánxīn	yearly pay; annual salary	
8. 月薪	（名）	yuèxīn	monthly pay	
9. 亲近	（动）	qīnjìn	to be close to	
10. 无价之宝		wú jià zhī bǎo	priceless treasure	
11. 起码	（形）	qǐmǎ	at least	丁
12. 中产阶层		zhōngchǎn jiēcéng	middle class	
13. 衡量	（动）	héngliáng	to weigh; measure	
14. 志愿者	（名）	zhìyuànzhě	volunteer	丙
15. 奉献	（动）	fèngxiàn	to offer as a tribute; present with all respect	丁
16. 股票	（名）	gǔpiào	share; stock	丁
17. 资本	（名）	zīběn	capital	丙
18. 一文不值		yì wén bù zhí	not worth a farthing	
19. 行业	（名）	hángyè	trade; profession	丙

注　释

梵·高	Fán Gāo	Van Gogh
比尔·盖茨	Bǐ'ěr Gàicí	Bill Gates
爱因斯坦	Àiyīnsītǎn	Einstein

扩大词汇量

1. “月薪” “年薪” “加薪” “高薪” “薪水”等词各是什么意思？查词典，再找出其他一些带“薪”字的词语。

2. “价位” “代价” “标价” “价值” “降价” “无价之宝”等词语各是什么意思？查词典，再找出其他一些带“价”字的词语。

3. “无偿”中的“偿”是什么意思？查词典，再找出其他一些带“偿”字的词语。

4. “观点”一词是什么意思？查词典，再找出其他一些带“观”字的词语。

用词语造句

1. 自由

例：其实我觉得自己每月拿25元很好了，工作不太忙，节假日里可以回乡下帮父母做家务，自由地看天看地……

2. 无价之宝

例：我男朋友说我是无价之宝。

3. 衡量

例：薪水的确能用来衡量一个人的专业能力。

4. 奉献

例：比方说，你要当志愿者，奉献自己的能力。

5. 起码

例：起码达到中产阶层的收入。

1. 叙述中的时间

在叙述一件事情的时候，要把事情的过程叙述得条理清楚，必须说明事情发生的时间。注意课文中表示时间的语句，注意它们在叙事中的作用。

例：有一天，我跟我老婆吵……第二天，我找到矿领导……上班第九天，我正在挖矿……等醒来时，已经躺在了医院里……出了院后，我又找到领导……

表示时间的常用语句：

（1）点明具体的时间，例如：

1964 年 3 月

一个星期二

晚饭后

当我到家的时候

(2) 表示时间的推移，例如：

后来

第二年

三个月过去了

过了不久

(3) 不直接使用时间词语指出时间的推移变化，例如：

太阳下山了

等到他们再次见面

2. 体现

(某种事理或性质) 在具体事物上表现出来；具体表现出 (某种事理或性质)

例：不同行业的人体现价值的方法不同。

根据下面各句的意思，用“体现”造句：

(1) 掌握一种语言的好坏程度常常反映在表达能力上。

(2) 学生的考试成绩的好坏常常说明教师教学水平的高低。

(3) 你的成绩能说明你是不是认真学习了。

(一) 说一说

1. 课文中的小学老师为什么说“我的命只值每月 25 元”?

2. 科学家的价值、艺术家的价值、商人的价值、老师的价值各是什么?

3. 你同意“你值多少钱”的说法吗? 你同意电话采访中哪个人的回答?

4. 如果现在你可以得到1万块钱，你会怎么用这些钱？如果现在你可以得到10万块钱，你会怎么用这些钱？如果现在你可以得到100万，你会怎么用这些钱？

5. 你同意“女人不能太会赚钱”的说法吗？为什么？

6. 你认为一个人“以后的发展”靠机会还是靠自己的努力？

（二）情景会话

1. 如果一位记者采访你，问你认为自己值多少钱，你怎样回答？

一位同学扮演记者，设计好一些问题向你进行采访，并做记录。采访结束后向大家汇报采访结果。

内容提示：

记者：

（1）长这么大，你算没算过你的父母为你花过多少钱？你觉得你值这些钱吗？

（2）从小到大，你都上过什么学校？付过多少学费？你觉得你得到的教育值这么多钱吗？

（3）你打过工吗？你觉得打工的工资是你付出的劳动的价值吗？

（4）你觉得学生的价值体现在哪儿？

（5）你对将来工作以后自己的薪水有没有一个心理价位？

（6）你将来会不会为高薪付出一些代价？

2. 爱因斯坦是一位伟大的科学家，比尔·盖茨是一位企业家。他们的行业不同，所处的时代不同，如果他们两人见面，会谈些什么呢？他们各自的价值观又是什么呢？他们一定会对对方的价值观好奇。

一位同学扮演爱因斯坦，另一位同学扮演比尔·盖茨，完成对话。

主要词语及格式：

行业；价值；体现；不可思议；贡献；收入

表示估计：

猜/估计
想必
我看/看来/看起来……
看上去/听上去
看样子

内容提示：

爱因斯坦：

(1) 向盖茨问好。
(2) 告诉盖茨，自己自从听说他以后就一直很想见见他。
(3) 听说盖茨是世界首富，很想问问他对钱的看法。
(4) 问在盖茨眼里，相对论值多少钱。
(5) 问在盖茨眼里，科学家值多少钱。
(6) 请盖茨估计，如果自己和他同处一个时代，自己的收入会是多少。
(7) 问盖茨如果自己去他的公司工作，盖茨会给自己一份什么样的工作。
(8) 告诉盖茨和他的谈话让自己感到很愉快。

比尔·盖茨：

(1) 向爱因斯坦问好。
(2) 告诉爱因斯坦自己很早就听说过他的名字，一直想见见他。
(3) 告诉爱因斯坦自己是世界首富，但很想问问爱因斯坦对自己的看法。
(4) 问爱因斯坦自己世界首富的地位是不是自己能力的体现。
(5) 请爱因斯坦估计，企业家在科学家的眼里值多少钱。
(6) 问爱因斯坦，自己如果在他的时代还会不会是世界首富。
(7) 问爱因斯坦，如果自己去他的实验室工作，爱因斯坦会给自己一份什么样的工作。

(8) 告诉爱因斯坦，和他的谈话让自己感到很愉快。

(三) 讨论

1. 你同意"能力越高，钱赚得越多"的说法吗？

2. 有些女人在征婚启事上公开要求对方有多少钱，你能理解这种做法吗？

副 课 文

没钱不是也很快乐吗

现在是经济社会，一切都向钱看，把钱当成了神。没想到有一天遇见了几位"没钱"的朋友，坐在马路边上，摆上一张桌子，放上几杯清茶，几盘小菜，笑谈钱多钱少……

为什么大家都拼命地赚钱呢？没钱不是也很快乐吗？为什么这么说呢？这是因为：

其一，没钱就不一定要立遗嘱，儿女也不必为了遗产争得你死我活；他们能在我的墓前站一站，想想我活着的时候做过的那些好事不是也很好吗？

其二，没钱就不做商人，不必为了做生意，远远地离开妻子和孩子；能与家里人在一起平平静静地吃饭，拉着妻子的手在公园里散步不是也很好吗？

其三，没钱就不用去澳门或拉斯维加斯，不可能因为赌钱而一夜之间变成穷光蛋，不用向别人借钱还债，而是请上两三个好友聊聊天，喝喝茶，讲讲笑话，不是也很好吗？

其四，没钱就不会被很多的记者包围着，不必买他的有偿新闻，不用给他红包。看着那些"星"和"家"们离婚的离婚，打官司的打官司，而自己身体好，牙好，胃好，天天百姓生活不是也很好吗？

其五，没钱就不用买手机，不用担心得脑瘤，不用上网，不收发E-mail，而是没事时看看朋友写来的信，这不是也很好吗？

其六，……

其七，……

（选自佐罗《没钱不亦快哉》，有删改）

在老师的帮助下学习生词：

神	shén	赌	dǔ
遗嘱	yízhǔ	穷光蛋	qióngguāngdàn
遗产	yíchǎn	债	zhài
墓	mù	打官司	dǎ guānsi
平静	píngjìng	脑瘤	nǎoliú

讨 论

1. 文章中提到的“澳门”和“拉斯维加斯”在哪儿？它们是两个什么样的城市？

2. 什么是“红包”？在你的国家有送红包的习惯吗？

3. 文章中“星”和“家”指的是什么样的人？

功能练习

表示分析

1. 例：为什么大家都拼命地赚钱呢？因为现在是经济社会，一切都向钱看，把钱当成了神。

（疑问句〈提出问题〉+说明原因）

在下面的情景中……

（1）北京人从小生活在北京，对北京的各种事物都已经很习惯了。描写北京历史的多是外地人。你说：

（2）A 市的游泳池大多是在四星、五星级的宾馆里。因此，这里虽然地方很大，游泳的机会却很少。你说：

2. 例：没钱的快乐也是很多的，其一……，其二……，其三……

（陈述句〈提出问题〉+其一……，其二……，其三……〈分析问题〉）

在下面的情景中……

（1）因为学校没有钱买新书，学生没有时间去图书室看书，图书室的开放时间太短，图书室在很多小学已经很少有人去了。你说：

（2）心理上的问题，怕犯错误；只是学习课堂上的内容，没机会练习；中国人平时说话说得太快。因此，很多留学生学习汉语很长时间了，可是还不能和中国人交谈。你说：

第七课

服饰与发型

主课文

（一）衣服——另一个家

世界上跟我们最亲近的就是我们的衣服，我们住在衣服里，所以可以说，衣服就是我们的另一个家。

不知道从什么时候起，人就有了衣服。从此，人就悄悄地住进自己的衣服里。到了冬天，人们更是喜欢躲在衣服里不出来，就像远远地离开了热闹的都市，躲进了乡下的老房子里，有了难得的安静。

衣服是一种语言，它能说出一个人的气质和品位。谈到时装，似乎说得最多的是时髦与过时的话题。时装变化的速度快得让人吃惊。我也曾经赶过时髦，随着时间慢慢地过去，曾经非常喜爱的时装竟会变得让我讨厌，看着那些时装轻浮的颜色和质地，我感到了深深的惭愧，我甚至不能原谅自己。你信不信，就在这个时候，衣服也在看着我，它的目光让我觉得不好意思。

而我的朋友李琦，常常穿着我从没有见过的美丽的衣服。我忍不住问："又是新的？""旧的。"她说。她的衣服从来都不过时，因为她的每一件衣服都有着自然的质地，很适合她的个性。她穿着她过去的衣服，穿着穿着好像又回到了从前。她穿着这样的衣服，因为衣服的品位而对自己有了严格的要求。在这样的衣服里生活着，日子也会很美呢。

（选自迟慧《衣服，另一个家》，有删改）

（二）

穿衣服也是一门艺术，你会穿衣服吗？请看下面电视台主持人对靳羽西的采访。

主持人：您好，欢迎收看山东电视台《新女性》节目。今天到我们节目做嘉宾的是靳羽西女士。羽西，你好，欢迎你到我们的节目里做客。我想很多女人都有一个问题，她们会经常到商店里去买衣服，但是呢，一到换季的时候，很多女人都会说：哎呀，我没有衣服，我没有合适的衣服穿，我没有漂亮的衣服穿，然后她又会继续到街上再去买。

靳羽西：因为她们不懂得如何搭配衣服。我有些衣服已经穿了十几年，几十年了，因为这种衣服是非常非常古典的衣服，比如说，我今天穿的这条裤子，起码十多年了，这条裤子是丝绸做的，款式也不夸张，这么长时间，还很好。我有一个观点，首先有一些基本衣服，基本衣服是什么意思呢？就是限制自己买一个颜色的，比如说一件衬衫，一件夹克，一件冬天穿的大衣，一条围巾，一双鞋子，一条裤子，我的基本衣服都是黑颜色的；然后第二个重要的就是我有一些衣服叫做辅助衣服，因为我的基本衣服是黑颜色的，那我的辅助衣服呢，一般地我限制买三种或四种颜色，不能多买，我自己经常穿的也就有两三种颜色。

主持人：那我想问问羽西，你的这件衣服好像很有特点，是在哪里买的？

靳羽西：我这件衣服是在印度买的，我的衣服都是“联合国”。

主持人：当时在买这件衣服的时候，是不是想过如何搭配呢？首先是颜色？

靳羽西：对。如果你这件衣服的颜色不适合你，尽管它是免费的，你都不要穿这个颜色，但是如果这个颜色就是我的辅助颜色之一，那我一见到这个颜色就可以买，因为我有这样的鞋子，有这样的包，都可以用上它了。我穿这件衣服的同时，我也用同一颜色的口红来搭配。

主持人：这种搭配非常重要，如果不掌握您说的这个技巧，或者不懂得您说的这种方法，就会花很多冤枉钱。

靳羽西：另外，颜色也很重要。我们的皮肤和外国人的皮肤颜色不一样，我们的皮肤是黄种人的皮肤，黑的头发，黑的眼睛，我们的颜色对比是特别强的，因为我们的头发很黑，我们的颜色是非常非常重的颜色。

主持人：是所有颜色合起来的一种颜色。

靳羽西：所以我就说了，我们一定要学习怎么样穿衣服使我们的对比更漂亮一点儿。

主持人：第一是颜色最适合你，第二是要想到跟你已有的衣服搭配，第三个我觉得是不是就是说款式要非常适合你的体型。

靳羽西：着装、化妆、发型的设计，最后的目的是什么，不是扬长避短吗？我们没有一个人愿意一穿这衣服，越看越难看。作为一个普通的女人，我可以说大部分的人，她们需要的就是要有一个方法。如果买一件衣服以后穿起来很好看，而且比她自己本身更漂亮，那么这个款式就比较重要了。比如，你是一个胖人，不管今年流行什么短款，你都不要去穿。

主持人：购物是一件很辛苦的事情，对女人来说，要掌握好购买衣服的这种方法。

靳羽西：是一种方法，这是最简便的方法。

主持人：对，其实这个事情就像羽西说的是很简单的。如果你不懂的话，就很麻烦，你就会把事情弄得很糟。谢谢羽西今天到这里来把你的许多经验和感觉告诉我们。

（选自《知识与生活》第28期）

生　词

1. 品位	（名）	pǐnwèi	taste；savour	
2. 时装	（名）	shízhuāng	fashionable dress	丁
3. 轻浮	（形）	qīngfú	frivolous；flighty	
4. 质地	（名）	zhìdì	texture	
5. 惭愧	（形）	cánkuì	ashamed	丙
6. 个性	（名）	gèxìng	individuality	丙
7. 搭配	（动）	dāpèi	to match	丁
8. 款式	（名）	kuǎnshì	pattern；style；design	
9. 夸张	（动）	kuāzhāng	to exaggerate；overstate	
10. 夹克	（名）	jiākè	jacket	
11. 围巾	（名）	wéijīn	muffler；scarf	丙
12. 辅助	（动）	fǔzhù	assist; aid	丁
13. 免费		miǎn fèi	free of charge	丁
14. 皮肤	（名）	pífū	skin	乙

15. 对比	（动）	duìbǐ	contrast	乙
16. 体型	（名）	tǐxíng	type of build or figure	
17. 着装	（动）	zhuózhuāng	to put on; wear	丁
18. 扬长避短		yáng cháng bì duǎn	to make the best use of advantages and fight shy of disadvantages	

扩大词汇量

1. “安静”和“平静”分别和哪些词语搭配？

2. “简单”和“简便”中都带一个“简”字，解释它的意思。查词典，再找出一些带“简”字的词语。

3. “款式”和“短款”中都带一个“款”字，解释它的意思。查词典，再找出一些带“款”字的词语。

4. 除“纯棉”“丝绸”这两种不同的纺织品的质地外，你还知道其他哪些纺织品的质地名称？

5. 除“衬衫”“夹克”“大衣”“围巾”“鞋子”“裤子”以外，看看自己身上穿的衣服，再说出其他一些衣服的名称。

6. 除“黑色”“黄色”“白色”“蓝色”“紫色”“绿色”以外，你还能说出哪些颜色的名称？

7. “发型”“体型”中的“型”是什么意思？再说出一些带“型”字的词语。

1. 轻浮

例：看着那些时装轻浮的颜色和质地，我感到了深深的惭愧。

2. 惭愧

例：看着那些时装轻浮的颜色和质地，我感到了深深的惭愧。

3. 辅助

例：然后第二个重要的就是我有一些衣服叫做辅助衣服。

1. V + 进

例：从此，人就悄悄地住进自己的衣服里。
　　远远地离开热闹的都市，躲进了乡下的老房子里。

把“进”字加在下面句子中合适的位置上：

(1) 在这个句子的动词前插一个“不”字，这个句子就变成了否定句。

(2) 经过了 80 多分钟的比赛，我们队终于踢了一个球。

(3) 衣柜里还有一些地方，还可以放一件大衣。

2. 副词重叠

双音节副词一般是不能重叠的，但在口语里，有时为了加重语气，像

"非常""特别""最"等可以重叠。

例：这种衣服是非常非常古典的衣服。

我们的颜色是特别特别重的颜色。

用"副词重叠+形容词"的形式填空：

（1）我有一个________的主意，你想不想听？

（2）那地方的景色________。

（3）我一搬才知道原来那箱子是________的一个。

（一）说一说

1. 你的衣服多吗？它们都是什么风格的？描述一下你最喜欢的一件衣服。你知道关于衣服的故事吗？讲给大家听。

2. 买衣服时，你认为最重要的是什么？

3. 你能根据一个人的穿着看出他/她是哪国人吗？说一说你是怎样进行判断的。

4. 你能根据一个人的穿着看出他/她的职业吗？说一说你是怎样进行判断的。

5. 讲讲你"赶时髦"的故事。周围的人对你的打扮是如何评价的。

（二）情景会话

1. 甲已经参加工作几年了，但甲的同事们总是说她"还不成熟"，甲想改变自己的形象并想从日常穿衣方面做起。甲找到乙，告诉乙自己的想法，并请乙帮忙给一些建议。

两位同学分别扮演甲和乙，完成对话。

主要词语及格式：

穿着；着装；得体；搭配；个性；为……发愁

表示劝告：

我劝你……
最好……
其实……也不错
不必为此……

内容提示：

甲：
(1) 见到乙问乙什么叫“不成熟”。
(2) 告诉乙，你的同事总是说你不成熟。
(3) 告诉乙，你发现一个人的日常穿着很重要，你常常很羡慕每天穿职业装的人，因为他们看起来都很“成熟”。
(4) 问乙你适合穿什么样的衣服。
(5) 告诉乙你常常为着装发愁。
(6) 问乙怎样看你的个性。
(7) 表示接受乙的建议。

乙：
(1) 对甲问你这个问题表示奇怪。
(2) 告诉甲，你的同事总说你很成熟。
(3) 劝告甲，一个人的日常穿着是很重要，但不必羡慕别人。
(4) 劝告甲，适合穿什么样的衣服不重要，重要的是要穿得对。
(5) 劝告甲不必常常为着装发愁。
(6) 告诉甲她有个性，这很好。
(7) 劝告甲不必太在乎别人说自己什么。

2. 甲和乙两位同学对话，分别谈谈自己在买衣服方面的习惯，并根据对方的肤色、发型、体型给对方一些穿衣方面的建议。

主要词语及格式：

配；气质；时髦；个性；质地；品位；扬长避短；符合

表示建议：

我有个主意 + 建议内容
你看这样 + 行不行/好不好 + 建议内容
……，你觉得怎么样？

内容提示：

甲：

(1) 问乙觉得自己今天穿的衣服搭配怎样。
(2) 告诉乙，你有很多衣服，可是到了换季的时候，还是觉得没衣服穿。
(3) 夸奖乙今天的衣服搭配得很好。
(4) 告诉乙觉得他/她的衣服搭配得好，这跟他/她的肤色、发型、体型有……关系。
(5) 给乙一个建议，让乙的衣服有一个更好的搭配。
(6) 问乙对你穿衣的搭配方面有什么建议。
(7) 谢谢乙的建议。

乙：

(1) 夸奖甲的衣服搭配得不错。
(2) 告诉甲你也有同样的感觉。
(3) 告诉甲你的衣服不是新衣服，是以前穿过的。
(4) 对甲的建议表示同意。
(5) 告诉甲，你认为他/她的衣服按他/她的肤色、发型和体型怎样搭配好。
(6) 根据甲今天穿的衣服给甲一个建议，让甲的衣服有一个更好的搭配。
(7) 谢谢甲的建议。

（三）讨论

1. 衣服有没有“国界”和“民族”之分？说说你最喜欢哪个“民族”的衣服。

2. 说说时装和我们日常生活的关系。

副课文

甲：你看，那边有一个男的，穿着紫色的肥裤子，绿色的衬衫，红色的皮鞋，头发还染成了白色，这家伙我可真受不了。

乙：在哪儿？我怎么没看见？

甲：就在你身后，别回头，你可以假装蹲下来系鞋带，偷偷地看看。

乙：真不错，挺好，起码穿得很有个性。

甲：哎呀，啧啧，你看他还戴了一副黄色的眼镜！

乙：那种眼镜可是今年最流行的款式，我要是能像他一样有那样一副眼镜就好了。不过，他戴的耳环看上去不顺眼，我有点儿看不惯。

甲：快看，快看，有一个女的走过来了！瞧人家的头发，那么好看的金红色，你觉得是染的还是自然的？

乙：我估计是染的。看她的皮夹克，这种短短的样子穿在她身上真好，要是我也有这么一件那该多好啊！

甲：可是她的裙子那么紧，怎么能走路？她穿的尖头高跟鞋真讨厌。

乙：对，不但不好看，而且不舒服，还会伤害她的脚呢。

在老师的帮助下学习生词：

染	rǎn	耳环	ěrhuán
假装	jiǎzhuāng	估计	gūjì
蹲	dūn	紧	jǐn
系	jì	尖	jiān

一、表示不喜欢（厌烦、厌恶）

1. 例：这家伙，我可真受不了。（这家伙，……）

   在下面的情景中……

   （1）你不太喜欢甲，正好甲离开了。你说：

   （2）你不太喜欢甲，你不明白为什么甲总是那么骄傲。你说：

2. 例：这家伙，我可真受不了。（受不了……）

   在下面的情景中……

   （1）隔壁房间晚上经常有很大的声音，你觉得很烦。你说：

   （2）这个城市的夏天天气太热，你不喜欢。你说：

3. 例：他戴的耳环看上去不顺眼，我有点儿看不惯。

   （不顺眼/看不惯）

   在下面的情景中……

   （1）你不喜欢甲的打扮。你说：

   （2）你很讨厌甲整天得意的样子。你说：

4. 例：她穿的尖头高跟鞋真讨厌。（讨厌）

   在下面的情景中……

   （1）你不喜欢甲，因为他总是吹牛。你说：

   （2）你不喜欢房间被人弄得很乱。你说：

5. 例：哎呀，啧啧，你看他还戴了一副黄色的眼镜！（哎呀/啧啧）

在下面的情景中……

(1) 你觉得甲穿的衣服太难看了。你说：

(2) 你看甲满身都是泥。你说：

二、表示羡慕

1. 例：真不错，挺好，起码穿得很有个性。（真不错）

在下面的情景中……

(1) 你羡慕甲的工作，因为可以坐在家里拿钱。你说：

(2) 你羡慕甲很轻松就考上了大学。你说：

2. 例：我要是能像他一样有那样一副眼镜就好了。

（要是能像……一样……就好了）

在下面的情景中……

(1) 你羡慕甲有一个能赚钱的丈夫，希望自己也有那样一个丈夫。你说：

(2) 你羡慕甲能去世界上许多国家旅游，希望自己也像甲一样。你说：

3. 例：这种短短的样子穿在她身上真好，要是我也有这么一件那该多好啊！（要是我也……该多好啊）

在下面的情景中……

(1) 你羡慕甲有福气，希望自己也像甲一样有福气。你说：

(2) 你羡慕甲有那样一套好房子，希望自己也有一套。你说：

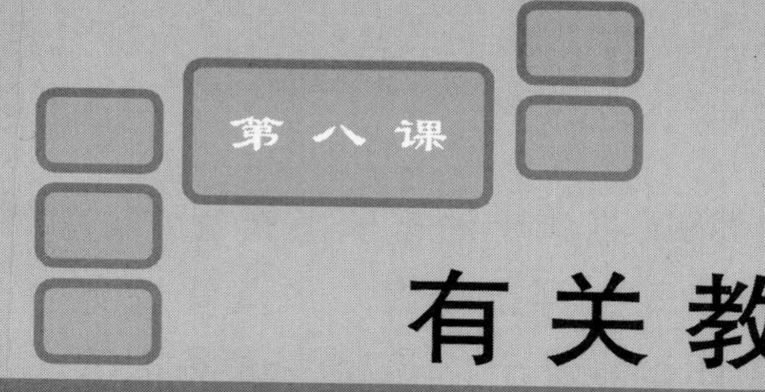

第八课 有关教育

主课文

（一）九岁女孩遇到“爱情”

前几天和几个朋友谈话，谈到中国传统的“男女之大防”，对于孩子的精神来说，真是一种扭曲。

我本来以为这种传统观念早已经成了过去。没想到，就在不久以前，在S国，我到一个留学生朋友家里做客，他们家的女儿一面在房间里玩着溜冰鞋，一面闹着要离开现在的学校，到别的学校去学习。

原因是，这个才九岁的女孩子，到一家S国小学里读书，第一个黄皮肤、黑头发的女孩子的出现，在班上引起了不小的轰动，不到一个学期，居然有一个S国男孩子说他爱上了她。

这在S国学校里是常见的事，可这个中国小女孩，她的反应不是像西方小女孩那样得意，而是十分生气。

那个S国男孩子找尽一切机会对她表示亲密。有一天，小女孩生病了，请了假没有去上学，S国小男孩居然在班上大哭起来，说是没有这个中国女孩子，他就不能继续上课，他要回家。

老师既没有批评他，也没有不让他回家。

到了家，他哭着对母亲说，他要和一个中国女孩子结婚。

发生了这样的事，在中国，家长就是不觉得尴尬，也要担心的。

我问中国小女孩的父母，那S国男孩子的家长怎么说？

朋友告诉我："那孩子的母亲说，那很好啊。但是结婚要有礼服、婚纱、戒指，还要有自己的房子、花园，这要花很多很多的钱。可是你现在什么也没有。你要和这位可爱的中国女孩子结婚，从现在起，就得努力学习，将来才有希望得到这一切。"

那男孩子居然擦干了眼泪，从此就十分用功起来。

当时朋友的女儿就在旁边，她一直很紧张地想不让父母讲完这个故事。但是故事太有趣了，父母亲还是很快地讲完了。

（二） 女儿的头发

女儿从美国回来的时候很漂亮，健康而自信。推着行李车从机场走出，看见我以后，就向我伸开手臂。在与她分别整整一年之后，我们紧紧拥抱。

一年中，女儿有很多变化，她的理想和想法。但那些都是看不见的。看得见的，是女儿那一头被染过的、非常漂亮的头发。她说那是她回国前，她的美国妈妈南希带她去染的。在美国的一年中，是南希给了她爱和生活上的照料，她想念南希。

女儿回国后要继续上高中。她该读高三了，读高三是非常辛苦的，再加上中美两国的教育有许多的不同，这就使刚刚回来的女儿有很多的不适应。但想不到的是，在许多的不适应中，她首先面对的居然是她最最喜欢的头发。

尽管国内的年轻人也流行把头发染成不同的颜色，但中学生还不许染头发，女儿的学校就有这一点规定。女儿的同学来看她，和气地告诉女儿说班主任安老师希望女儿能把头发染回来。安老师这样让同学提前告诉女儿，也是为了让女儿能有一个思想准备。

但是女儿还是很难过，她差不多当时就哭了。她问我们，为什么？为什么要让我把头发染回来？我们于是对她说，你的头发当然是最漂亮的，但这是学校的规定。可女儿说，美国的小孩就可以随便染头发。

我们想尽了一切办法劝她，她还是不同意。

终于，到了女儿上学的那一天。我去送她。我们也很正式地见到了安老师。她和女儿说了很多，只是在最后才提到了头发的问题，她说你的头发很漂亮，我也很喜欢，只是学校有规定，就把前边染一染好吗？

女儿点头了。这以后，女儿的头发又保持了一个星期。她的理由是要等到周末才有染头发的时间。可是很快就到了周末，她再也没有任何理由了，于是我拿出了染发露。

那一天，为了那最后的金红色，我们为女儿照了许多相……

（三） 学生·礼物·老师

我的同事把女儿送进了一所中学。开学不久，这位13岁的小女孩就遇上了一个问题：要不要跟多数同学一样给老师送礼？

她的女儿今年13岁，刚上初中一年级。才开学不久，小女孩就回来告诉妈妈：她们的体育老师是一位年轻的男老师，班上有十几位女同学，大家凑份子，给那位年轻的男老师买了一套名牌运动衣和一双运动鞋作为礼物。这位小女孩在同学刚开始凑份子时，曾经回家问过妈妈：是不是也参加凑份子？我的同事告诉她的女儿：我们不送。

后来，事情的发展让我的同事感到了困惑。她的女儿因为没有参加凑份子而受到了同学的排斥，我的同事从她女儿那里觉到了女儿的不快乐，所以她经常在办公室里和同事一起讨论送不送礼的问题。这让人觉得送礼问题在她们那里已经成了“哈姆雷特的困惑”：送礼，还是不送礼，这是一个关系到孩子命运的根本问题……

生　词

1. 扭曲	（动）	niǔqū	to twist; contort	
2. 溜冰鞋	（名）	liūbīngxié	skates; ice-skates	
3. 轰动	（动）	hōngdòng	cause a sensation; make a stir	丁
4. 亲密	（形）	qīnmì	close; intimate	丁
5. 尴尬	（形）	gāngà	awkward; embarrassed	
6. 礼服	（名）	lǐfú	ceremonial robe/dress	
7. 婚纱	（名）	hūnshā	wedding garment	
8. 戒指	（名）	jièzhi	(finger) ring	
9. 手臂	（名）	shǒubì	arm	
10. 拥抱	（动）	yōngbào	to embrace; hug	乙
11. 照料	（动）	zhàoliào	to take care of; attend to	丁
12. 想念	（动）	xiǎngniàn	to miss; long to see again	乙
13. 规定	（动、名）	guīdìng	to stipulate; regulation	乙
14. 染发露	（名）	rǎnfàlù	hair dye	

15. 凑份子		còu fènzi	to club together (to present a gift to sb.)	
16. 排斥	(动)	páichì	to repel; exclude	丙
17. 困惑	(动)	kùnhuò	to be perplexed; puzzled	

注 释

男女之大防 nán nǚ zhī dà fáng
the man-made boundary between males and females in old China

哈姆雷特的困惑 Hāmǔléitè de kùnhuò Hamlet's confusion

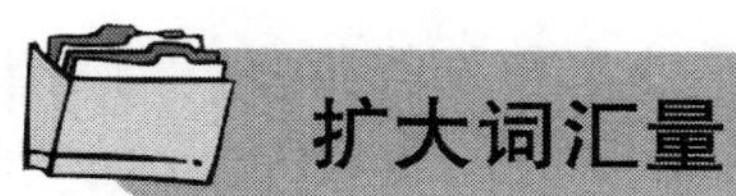

扩大词汇量

1. 区别"非常"和"异常",分别列出与它们搭配的词语。

2. 区别"坚持"和"保持",分别列出与它们搭配的词语。

3. 区别"照顾"和"照料",分别列出与它们搭配的词语。

4. 除了"礼服""婚纱""戒指"外,跟婚礼有关的还有哪些词语?

用词语造句

1. 轰动

例： 第一个黄皮肤、黑头发的女孩子的出现，在班上引起了不小的轰动。

2. 尴尬

例：发生了这样的事，在中国，家长就是不觉得尴尬，也要担心的。

3. 凑份子

例：班上有十几位女同学，大家凑份子，给那位年轻的男老师买了一套名牌运动衣和一双运动鞋作为礼物。

4. 排斥

例：她的女儿因为没有参加凑份子而受到了同学的排斥。

5. 反应

例：她的反应不是像西方小女孩那样得意，而是十分生气。

6. 再也没有/不

例：她再也没有任何理由了，于是我拿出了染发露。

语言点

1. 居然

副词。表示出乎意料，指本来不该发生的事竟然发生。

例：S国小男孩居然在班上大哭起来。

在许多的不适应中，她首先面对的居然是她最最喜欢的头发。

根据下面各句的意思，用“居然”造句：

（1）是他建议我们开会的，可是没想到他没来。

（2）真想不到，她竟喜欢把自己打扮成男孩子的样子。

（3）他的孩子哭得那么厉害，他竟然没有醒。

2. V + 尽

例：那个S国男孩子却找尽一切机会来对她表示亲密。

我们想尽了一切办法劝她，她还是不同意。

在下列各句中适当的地方加入或换成“尽”：

（1）该说的话我都说了，可她还是老样子。

（2）他想了一切办法希望能报名参加比赛。

（3）费了很多心机想制造麻烦的人往往最后自己有麻烦。

（一）说一说

1. 课文（一）中，当S国的小男孩说他爱上了那个中国小女孩时，那个中国小女孩的反应为什么不是得意，而是生气？你能理解她的心情吗？

2. 课文（一）中，当S国的小男孩告诉妈妈他要和那个中国小女孩结婚时，你能理解小男孩的妈妈的教育方法吗？

3. 课文（二）中，“女儿”从不同意染头发到最后同意染头发，说一说她的心理变化。

4. 课文（三）中，那个 13 岁的小女孩应不应该跟班上的大多数同学一样参加凑份子，给老师送礼？

5. 你认为东西方的教育有差异吗？如果有差异，表现在哪些方面？

6. 说说最近在国际上、在你的国家里、在你的班级里分别发生了什么"引起了不小的轰动"的事。

8. 你有没有遇到过让你觉得"尴尬"的事？说一说当时的情况。

9. "伸开手臂""紧紧拥抱"是哪些国家的习俗？说一说你的国家，还有哪些这方面的习俗。

（二）情景会话

1. 女儿回到中国以后，亲生母亲给 John 和南希打电话，他们是女儿在美国的爸爸和妈妈，对他们照顾自己的女儿表示感谢，并告诉 John 和南希女儿的变化，最后提到女儿的头发……母亲对南希解释女儿所在学校的规定，请南希帮忙劝女儿；南希表示理解学校的规定，并答应试着劝女儿，两人商量怎样对女儿说才能让女儿接受建议。

一位同学扮演母亲，一位同学扮演南希，完成对话。

主要词语及格式：

染；劝；适应；规定；不许；说服；拜托

表示请求：

拜托了（表示请求帮助）
千万别……
可（以）不可以/能不能……
……行不行/好不好
你和……说说

内容提示：

母亲：

(1) 向南希问好，对她一年来对女儿的照顾表示感谢。
(2) 告诉南希，女儿变得漂亮、健康而且自信了。
(3) 告诉南希，女儿很想念她。
(4) 问一问南希最近的情况。
(5) 请求南希帮一个忙。
(6) 说到女儿的头发，告诉南希中国的学校规定不许染头发，但自己说服不了女儿，现在觉得很为难。
(7) 请求南希帮忙说服女儿把头发染回来。
(8) 告诉南希最近女儿的情绪不太好，担心南希不能说服女儿。
(9) 告诉南希你放心了，并会让女儿打电话给南希。
(10) 跟南希说再见。

南希：

(1) 表示很高兴在电话里听到她的声音。
(2) 告诉她自己很喜欢她的女儿，很愿意照顾她。
(3) 告诉她，自己也很想她的女儿。
(4) 告诉她自己最近的情况。
(5) 表示很愿意帮她的忙。
(6) 表示对学校的规定很理解。
(7) 答应试着说服她的女儿把头发染回来。
(8) 告诉她不必担心，自己会和气地说话的。
(9) 表示很愿意和她的女儿说话。
(10) 跟她说再见。

2. 有一天，甲的同事在办公室里说起自己的女儿在学校里发生的事。她先对甲讲了自己女儿没有参加凑份子的经过，然后问甲是否让儿子给老师送过礼。两人探讨是否应该给孩子的老师送礼。

一位同学扮演甲，一位同学扮演她的同事，完成对话。

主要词语及格式：

凑份子；受到；排斥；后悔；关系到……；送礼

表示意愿、打算：

(正在) 考虑……
愿意/乐意……
(不) 甘心/(不) 情愿……
心甘情愿
宁愿……也要/也不
就是……，也要……

内容提示：

甲的同事：

(1) 告诉甲，自己的女儿最近不快乐。
(2) 告诉甲，自己女儿的班上的同学凑份子给老师送礼，女儿没参加凑份子，所以受到同学的排斥。
(3) 告诉甲，自己现在后悔没让女儿也参加凑份子。
(4) 问甲是不是给他儿子的老师送过礼。
(5) 问甲该不该给你女儿的老师送礼。
(6) 问甲是不是还知道其他同事为了孩子给老师送过礼。
(7) 告诉甲，为了这件事，自己真不知道该怎么办。

甲：

(1) 问同事为什么她的女儿不快乐，发生了什么事。
(2) 问同事事先是不是知道女儿的班上同学要凑份子。
(3) 告诉同事过去的事后悔也来不及了。
(4) 告诉同事，自己也给儿子的老师送过小工艺品。
(5) 告诉同事不管送不送礼，一定要把事情的后果想清楚。
(6) 告诉同事其他人有的送，有的不送。
(7) 劝同事不必太担心。

（三）讨论

1. 学校为什么要有纪律和规定？学生该不该让自己的个性得到发展？学校的规定和学生个性的发展怎样保持平衡？

2. 学生该不该给老师送礼？请谈谈你的国家送礼的习惯。

副　课　文

当我把9岁的儿子带到美国，送他进那所离我家不远的美国小学的时候，我就像是把自己最心爱的东西交给了我并不相信的人。好家伙！这是一种什么样的学校啊！学生可以在课堂上放声大笑，每天最少让学生玩两个小时，下午不到3点就放学回家，最让我开眼的是根本没有课本。那个金色头发的女老师看了我儿子带去的中国小学四年级的数学课本后，慢慢地说："我可以告诉你，六年级以前，他的数学是不用再学了！"六年级以前不用学数学了？我简直不敢相信自己的耳朵！

日子一天天过去，看着儿子每天背着空空的书包高高兴兴地去上学，我心里就一阵阵地感到困惑：我真的不明白，这能叫上学吗？在中国，他从一年级开始，书包就满满的、沉沉的，让人感觉到"知识"的重量。

一年过去了，儿子的英语进步了不少，放学以后也不直接回家了，而是常去图书馆，常常背回一大包的书来。我不明白了，问他一次借那么多书干什么？他一边看书一边在电脑上打字，说："作业。"

什么？这叫作业吗？一看儿子打在电脑上的题目——"中国的昨天和今天"，真不得了，这样天大的题目，即使是博士，敢去做吗？

不久，儿子的另一个作业又来了。这次是“我怎么看人类文化”。这样的题目是让9岁孩子做的吗？这也太离谱了。儿子问我：“饺子是文化吗？”我只好帮助儿子一起查书。

儿子6年级快结束的时候，老师留给他们的作业是关于“二次大战”的问题。现在我能平静地想一想为什么老师要留这样的作业了。学校和老师想让孩子们去关心人类的命运，让孩子们学习思考重大问题的方法。

（选自高钢《我所看到的美国小学教育》，有删改）

在老师的帮助下学习生词：

心爱	xīn'ài
开眼	kāi yǎn
题目	tímù

功能练习

一、表示震惊、吃惊

1. 例：好家伙！这是一种什么样的学校啊！（好家伙）

   在下面的情景中……

   (1) 你去商场，看到商场里的人很多，你感到吃惊。你说：

   (2) 你从一座楼前走过，从楼上掉下来一个花盆，差一点儿砸到你，你觉得震惊。你说：

2. 例：六年级以前不用学数学了？我简直不敢相信自己的耳朵。

   （疑问句 + 简直 + 不敢相信……）

   在下面的情景中……

(1) 看上去很友好的那个人居然是骗子，你感到吃惊。你说：

(2) 他竟然对自己的亲生女儿很不好，你觉得震惊。你说：

3. 例：什么？这叫作业吗？ (什么 + 疑问句)

在下面的情景中……

(1) 她说鱼不可以生吃，你觉得很吃惊。你说：

(2) 你不相信在舞台上的人就是你哥哥，你觉得吃惊。你说：

4. 例：真不得了，这样天大的题目，即使是博士，敢去做吗？

(不得了，……)

在下面的情景中……

(1) 你听说你所在的城市最近要地震，觉得很震惊。你说：

(2) 他做了严重的违法的事情，你感到万分震惊。你说：

5. 例：这样的题目是让 9 岁孩子做的吗？这也太离谱了。

(疑问句 + 这太……了)

在下面的情景中……

(1) 你听说小刘考试得了第一名，感到吃惊。你说：

(2) 你听说有人要骑自行车走遍全世界，觉得吃惊。你说：

二、表示疑惑、不理解

1. 例：日子一天天过去，看着儿子每天背着空空的书包高高兴兴地去上学，我心里就一阵阵地感到困惑。 (困惑/糊涂)

在下面的情景中……

(1) 那天他发了脾气，你对他为什么生那么大的气感到不理解。你说：

(2) 那个人今天这样说，明天那样说，他让你不理解。你说：

2. 例：我不明白了，问他一次借那么多书干什么？ (不明白)

在下面的情景中……

(1) 你对不允许提前一天离开的规定感到不理解。你说：

(2) 学校规定不许染头发，你表示不理解。你说：

3. 例：为什么老师要留这样的作业呢？ (为什么……)

在下面的情景中……

(1) 这个工作需要三个人做，你不理解为什么只让你一个人做。你说：

(2) 他自己也很忙，你不理解他为什么还要帮助别人。你说：

承诺之后

主课文

主持人：听众朋友好！今天是今年的最后一天。想想过去的一年，该说的话实在是太多了。今天我们只想跟您谈一件事，那就是承诺制。谈谈有承诺制以来，还有哪些问题，这些问题都是我们老百姓生活中经常遇到的。不信，听众朋友您往下听。

老听众：你比如说铁道部，它11月22日曾经向全国承诺所有的列车都要供应开水，实际上你没有做到嘛。12月2号那天，我的两位老人从太原出发，老人一个77岁，一个75岁。这样两位老人，坐390次车，早上7:40上车，晚上6:37到北京下车，中间是差3分12个钟头，没有开水，没有暖气。冻得老人在车上没办法，只好站起来，来回走，把所有带的衣服全都穿上了。我们到车站接的时候，看见两个老人穿的衣服太多，一问怎么回事，说是车上冻的。所以回到家，第一件事就是先吃感冒药。冻成这个样子，为什么？我想他可能有他的困难：因为那个卧铺车厢应该有70多人，他只卖了5张票，是不是觉得开暖气不值得？

主持人：他们有没有问乘务员为什么不给暖气？

老听众：问了，乘务员说他们也没有办法。据说太原到北京的列车也曾对外承诺，说如果车上没有开水要罚款5块钱；还说如果乘客发现哪一个车站、哪一趟列车服务有什么什么问题，可以往铁道部办公室打电话，他们可以派人下来调查。可是我不能为你没开水就往北京打长途电话，另外，5块钱怎么个罚法？我值得吗？

主持人：听众朋友，我看，这是非常典型的说了不做，我们老百姓也叫说话不算数。他不做，还让老百姓没办法说。你说了不做，老百姓怎么反映？怎样得到赔偿呢？没有从老百姓出发，这其实也是没有诚心的表现。下面我们来听听孟金梅听众反映的问题。

孟金梅：我在一家商场买了一台进口洗衣机，比其他商场贵一千多块钱。服务员告诉我，虽然贵一些，可是洗衣机不容易坏，而且坏了还可以修。还承诺：当洗衣机发生问题通知他们以后，24小时内会有人先送一台临时洗衣机让我用，把我的洗衣机修好以后再换回来。我想，既然这么好，就买一个吧，花了七千多块钱买了回去，没想到，这台洗衣机不但噪音特别大，还会自己“走路”——洗着洗着，就离开原来的地方了。终于有一天，洗着一半衣服的时候，洗衣机坏了。打电话给商场，商场说尽量派人来修。第二天再打电话，告诉了一个手机号。第三天打了手机，又告诉了一个电话号码。第四天打了十几次电话，最后打通了，说是3天后派人来修。结果师傅来了，一检查，说是在家修不了，留了个地址，让自己送去，大概得花七八百块钱。我们家一位老人70岁了，还有一位50岁，一来是搬洗衣机有困难，二来是觉得生气。当初承诺得那么好，怎么现在就变了呢？

主持人：碰上这种事，的确让人生气。不过，这件事跟承诺制没什么关系。你应该找生产洗衣机的厂家，让他们来赔偿。怎么个赔偿法，厂家应该和你商量。

听众朋友，出租车拒载的问题似乎是个老大难问题。经过了一段时间，特别是有了承诺制以后，变化还是很大的。可是有一位听众朋友碰上的一件事，听了让人伤心：她的父亲病了，病得很厉害，已经活不了多长时间了，想在去世以前看看颐和园。

听　众：这件事我一说起来就伤心，（哭）因为从北京回来不到十天他就去世了。那天我们说好了去颐和园，因为父亲病得厉害，坐着轮椅，打车特别难，结果我从8点打到11点，他们都不拉，觉得我父亲是个病人，说“不去不去”。当时我急得都要掉眼泪了，不是为了我自己，是为父亲。他都这样了，他们还不拉。

主持人：记得打了多少辆车都不拉吗？

听　众：差不多有20辆吧。都不拉！一说起来就想哭，特别伤心。

主持人：发生这样的事真不应该。我们应该想的是，为什么承诺制对这些司机起不到约束作用呢？承诺制本身是一种自己约束自己的制度，看起来还有很多问题。我很同意有些人的看法，那就是把承诺变成法律，那么就会有更多的人相信。

生　词

1. 承诺	（动）	chéngnuò	to undertake; to promise	
2. 听众	（名）	tīngzhòng	audience; listeners	丁
3. 列车	（名）	lièchē	train	丙
4. 冻	（动）	dòng	to freeze	乙
5. 卧铺	（名）	wòpù	sleeping berth; sleeper	

6. 车厢	(名)	chēxiāng	railway carriage	丙
7. 乘务员	(名)	chéngwùyuán	attendant on a train	丁
8. 罚款		fá kuǎn	to impose a fine or forfeit	丁
9. 反映	(动)	fǎnyìng	to report; make known	乙
10. 赔偿	(动)	péicháng	to compensate; pay for	丙
11. 临时	(形)	línshí	temporary; provisional	乙
12. 噪音	(名)	zàoyīn	noise	丁
13. 拒载		jù zài	(to taxi drivers) to refuse to take a guest	
14. 老大难	(形)	lǎodànán	long-standing, big and difficult	
15. 轮椅	(名)	lúnyǐ	wheelchair	
16. 拉	(动)	lā	transport by vehicle	甲
17. 约束	(动、名)	yuēshù	to restrain; bind	丁
18. 本身	(名)	běnshēn	itself; in itself	丙

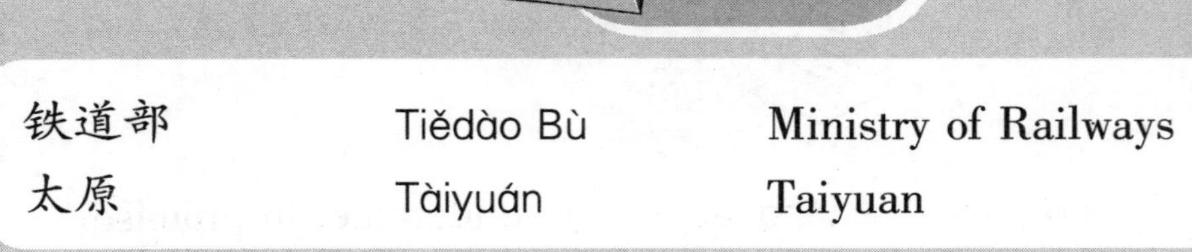

注 释

铁道部	Tiědào Bù	Ministry of Railways
太原	Tàiyuán	Taiyuan

1. “营业员”“乘务员”“服务员”各是什么意思？其中的“员”是什么意思？

2. 除了“列车”“卧铺”“车厢”“乘务员”以外，再说出一些有关坐火车的词语。

3. “调查”“反映”各是什么意思？和什么事情有关系？试举一例说明。

4. “罚款”和“赔偿”各是什么意思？和什么事情有关系？试举一例说明。

1. 承诺

例：你比如说铁道部，它 11 月 22 日曾经向全国承诺所有的列车都要供应开水。

2. 罚款

例：据说太原到北京的列车也曾对外承诺，说如果车上没有开水要罚款 5 块钱。

3. 反映

例：他不做，还让老百姓没办法说，你说了不做，老百姓怎么反映？

4. 赔偿

例：怎样得到赔偿呢？

5. 约束

例：承诺制本身是一种自己约束自己的制度，看起来还有很多问题。

1. 怎么个……法

表示说话人想知道进一步的、更具体的信息。

例：5块钱怎么个罚法？我值得吗？

怎么个赔偿法，厂家应该和你商量。

根据下面各句的意思，用“怎么个……法”造句：

（1）——听老师表扬他说，他的作业写得可好了。

——是吗？什么地方好？

（2）——小明，你去把你的房间弄干净。

——你要我弄得多干净？所有的东西都不要了吗？

（3）——你把这张表填好以后交给我。

——怎么填这张表？

2. V着V着

表示正在一边做……的时候，又有另一个情况发生。

例：没想到，这台洗衣机不但噪音特别大，还会自己“走路”——洗着洗着，就离开原来的地方了。

说着说着哭起来。

根据下面各句的意思，用“V着V着”造句：

（1）正在听歌的时候，他掉下了眼泪。

（2）正在看电视的时候，他笑起来了。

（3）正在吃饭的时候，他突然站起来。

（一）说一说

1. 课文中老听众说的"他""他们""你"分别指谁？为什么这么说？

2. 如果你是课文中的老听众，遇上这样的事你怎么办？会不会给铁道部办公室打电话？

3. 如果你是课文中的孟金梅，遇上这样的事你怎么办？会不会向厂家提出赔偿的要求？要求怎样赔偿？

4. 如果你是课文中的外地人，遇上这样的事你怎么办？会不会要求赔偿？

5. 过去有没有人曾经对你承诺过什么？后来结果怎么样？

6. 你是否曾经对别人承诺过什么？后来你是怎么做的？

7. 你在中国坐过火车吗？你觉得火车上的服务怎么样？有开水吗？有暖气吗？有空调吗？你满意吗？

8. 什么是"精神痛苦"？你认为一个人一生的各个阶段可能会遇到哪些"精神痛苦"？

（二）情景会话

1. 一位老听众给铁道部办公室打电话，反映乘坐火车时遇到的情况，一位铁道部办公室的负责人接到了这个电话。

一位同学扮演老听众，另一位同学扮演负责人，完成对话。

主要词语及格式：

反映；开水；暖气；冻；说话（不）算数；调查；罚款

表示强调：

明明……
关键是……
别说……，就是……也……

表示推诿：

我们也有难处
还得再……
我理解你，可是……
……再说吧

内容提示：

老听众：
(1) 问对方是谁。
(2) 告诉对方自己要找办公室负责人接电话，自己想反映问题。
(3) 问对方是不是办公室负责人。
(4) 向负责人反映自己的两位老人在太原到北京的火车上经历的事。
(5) 向负责人强调铁道部曾经承诺过所有的列车上都要有开水。
(6) 向负责人强调这是典型的说了不做，是说话不算数。
(7) 告诉负责人也不必再派人下来调查。
(8) 向负责人强调自己打电话的目的是反映承诺制的问题，希望他们改进工作。
(9) 跟负责人说再见。

负责人：

(1) 值班人接电话，问老听众有什么事。

(2) 值班人请老听众等一下，自己去找办公室负责人接电话。

(3) 告诉老听众自己是办公室负责人，有什么事可以跟你说。

(4) 听老听众的反映，听完后问老听众有什么要求。

(5) 向老听众解释铁道部也有难处。

(6) 表示会派人来调查这件事。

(7) 问老听众想怎样解决问题。

(8) 谢谢老听众反映问题，表示以后一定改进工作。

(9) 跟老听众说再见，并告诉他，希望他以后遇到问题再来反映。

2. 孟金梅打电话向生产洗衣机的厂家提出赔偿要求，厂家的负责人接到了这个电话。

一位同学扮演孟金梅，另一位同学扮演洗衣机生产厂家的负责人，完成对话。

主要词语及格式：

特意；进口；承诺；噪音；赔偿；解决；质量；责任

表示强调：

万万没想到……

特别（是）/尤其（是）……

A了又A

表示承诺：

保证

说到做到

凡是……，就一定/也一定……

绝对 + 承诺的内容

内容提示：

孟金梅：
(1) 问接电话的对方是谁。
(2) 告诉负责人你自己买洗衣机、修洗衣机的经过。
(3) 向负责人强调洗衣机坏了，是质量问题，是生产厂家的责任。
(4) 向负责人强调你自己有买洗衣机的发票和保修单。
(5) 向负责人提出赔偿要求。
(6) 跟负责人商量一个解决办法，看能不能让自己满意。

负责人：
(1) 告诉孟金梅你是负责人。
(2) 听孟金梅的反映，并问一些问题。
(3) 承诺如果洗衣机存在质量问题，由厂家负责。
(4) 承诺要派人去商场调查一下这件事。
(5) 不要马上接受赔偿要求，寻找别的解决办法。
(6) 想出一个好办法既能让孟金梅满意，又保护了厂家的声誉。

(三) 讨论

1. 遇上说话不算数的人该怎么办？

2. 应该相信别人还是不应该相信别人？

副 课 文

甲：这些出租汽车司机也太不像话了，怎么会发生那么多次拒载的事情呢？

乙：哎，你把个别人的错误行为当成是所有的出租汽车司机的错误显然是不合理的。毕竟，拒载的只是少数司机嘛。

甲：幸好还有像邵师傅那样一向对乘客热情、从未让乘客觉得不满意的司机。最可贵的是当记者采访他时，他还那么谦虚，净说大实话。

乙：是啊，我看大家都应该向邵师傅学习，都应该互相帮助。不但是邵师傅，所有那些承诺之后说话算数的人都值得我们向他们学习。

甲：承诺制都实行这么长时间了，怎么有的部门的服务还这么差呢？如果长时间这样下去，怎么能提高全社会的服务水平呢？

乙：这就要靠我们全社会的每一个人来约束自己了。

在老师的帮助下学习生词：

显然	xiǎnrán	可贵	kěguì
毕竟	bìjìng	尽	jìn
幸好	xìnghǎo	实行	shíxíng

功能练习

一、进行表扬

1. 例：邵师傅一向对乘客热情，从未让乘客觉得不满意。

（一向……，从未……）

在下面的情景中……

（1）某商场的售货员对顾客的态度一直很好，没和顾客发生过一次争吵，你提出表扬。你说：

（2）他一直都很勤奋，一次也没迟到过，你对他提出表扬。你说：

2. 例：最可贵的是当记者采访他时，他还那么谦虚，净说大实话。

（最可贵的是……）

在下面的情景中……

(1) 你认为他不但自己提前完成任务，而且还帮助了有困难的同志，值得表扬。你说：

(2) 小王在学校学习一年来从来没迟到过，你认为他值得表扬。你说：

3. 例：我看大家都应该向邵师傅学习，都应该互相帮助。

(向……学习)

在下面的情景中……

(1) 小赵不顾自己的危险，下河救人，你认为他的行为值得大家学习。你说：

(2) 你们班的班长很热心，值得全班同学学习。你说：

4. 例：不但是邵师傅，所有那些承诺之后说话算数的人都值得我们向他们学习。 (值得 + 主谓结构)

在下面的情景中……

(1) 我们应该学习他认真的工作态度。你说：

(2) 你认为小王一直努力认真，应该提出表扬。你说：

二、进行批评

1. 例：这些出租汽车司机也太不像话了，怎么会发生那么多次拒载的事情呢？ (太……了)

在下面的情景中……

(1) 你的朋友过分地相信一个陌生人，你对他提出批评。你说：

(2) 他乱扔垃圾，你对他提出批评。你说：

2. 例：你把个别人的错误行为当成是全北京所有的出租汽车司机的错误显然是不合理的。 (……显然是不合理的)

在下面的情景中……

(1) 他没有调查研究，只是坐在办公室里想办法，你对这样的做法提出批评。你说：

(2) 这个学校男、女生的比例是3:1，你对这个不合理现象提出批评。你说：

3. 例：承诺制都实行这么长时间了，怎么有的部门的服务还这么差呢？

（都……了，还这么……）

在下面的情景中……

（1）他已经上班了，可是打扮得还像个孩子，你对他提出批评。你说：

（2）已经实行承诺制了，可是那家商场还说了不算，你对他们提出批评。你说：

4. 例：如果长时间这样下去，怎么能提高全社会的服务水平呢？

（这样……，怎么……呢？）

在下面的情景中……

（1）他没有耐心，你认为他不能完成这个工作，你对他提出批评。你说：

（2）他太骄傲，你认为他不能当班长，你对他提出批评。你说：

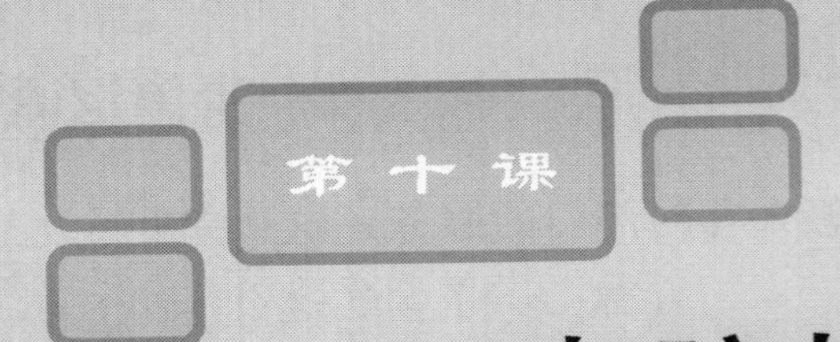

第十课 电脑与网络

主课文

（一）电脑打字的苦与乐

以前，看见年轻的打字员坐在电脑前，手飞快地敲着键盘，心里就会想：要是我以后能当个打字员，像她们那样快地打字那该多好啊！当我真的成了一个打字员时，我高兴了几天几夜。每天一打开计算机，一下子就到WPS下，心里很得意，接着就开始与电脑交流。

与电脑交流，是用心交流，敲一下键盘，光标就闪一下，十几分钟交流完后，稿子出来了。这是没有声音的交流，只要你的手在动，光标一直随着你的心在跳，"人机对话"就在进行。

在我们这个学校，只有我一个电脑打字员。我打字的速度非常快，送来的任务一会儿就完成了，领导们也因此而看重我，在他们的眼里，我就是一个"电脑专业人士"。

但是，总有人不断地送来各种材料、稿子、文件，而且每个送来这些东西的人都说"快一点儿，好吗？"我的苦也就跟着来了。我刚学电脑的时候，心里想的是当一个"电脑高手"，可是每天忙得腰也疼，背也疼，手也疼，脖子也疼，什么"高手"不"高手"的，早已经忘干净了。

那时候，常装上一些新软件，如"PCTOOLS" "CAI" "轻轻松松背单词"等等，自以为是"强手"。谁知道山外有山，人外有人，跟别人谈话时，竟然不知道还有WPS97，听说又有WPS2000了。知道了WIN3.X，怎么又来了WIN95。还没等我看完WIN97的材料，又有WIN98。硬盘以前是说多少多少MB，现在是多少多少GB了。大家都在说的“伊妹儿”，我原来以为是个女孩儿，后来才知道那是另一个世界，可以与人交流，可以发信。

有一点让我高兴的是，我常为自己免费服务。别人到外面打印文章需要花不少的钱，而我却一分钱也不用花，实在让我感谢这个工作给我带来的方便。

电脑打字真是有苦也有乐啊！

（二）网络记者

过去，一发生了重大新闻，人们总是等着看新华社、《人民日报》和中央电视台的报道。随着互联网的出现，人人都可以在网上发布新闻，越来越多的年轻人在远离传统的新闻媒体……

不写信　　不打电话　　不发传真

邮局看了上面的这几个字不会高兴。但是，这就是越来越多的中国人没办法改变的生活现实。

在过去的3年里，我除了经常去邮局取回寄来的稿费，几乎没有去邮局寄过一封信，也就是说，我几乎没有用笔和纸写过信。更没有写过信封和贴过邮票。

但是，在过去3年里，我每天差不多要写上几十封信发给我的国内和国外的朋友。同时，我每天至少要接到一百多封来信。

所有这些书信的往来不是通过邮局，也不是通过传真，而是通过国际互联网。

每天和朋友们交换一百多封信，不是问好，也不是表示客气，而是交流信息和讨论问题。这些信有的长，有的短。长的信可以写满几百页的纸，那大多数情况下是朋友新写的文章，发来让我先看一看的。短的信，只有一两行字，是朋友的一点新想法，写出来让大家讨论的。

在过去3年里，我家里没有订过一份报纸。但是每天早上，打开电子信箱，网上免费看的国内国外大报，如美国的《今日美国》、英国的《经济学家》等，已经在那里等着我打开看了。最让我高兴的是，跟我的兴趣相同的国内和国外的朋友，把他们自己每天在报纸上看到的好文章发到我的电子信箱里。我每天早上只要一打开信箱，就可以看到当天的《人民日报》、《北京青年报》、《纽约时报》或《华盛顿邮报》上的重要文章。

我每年要写几十万字的文章、论文，有时还要写书。但是我不想用打印机，买打印纸。我觉得用纸来保存我的文字太花时间，也太费钱。我寄我的文章都是通过电子邮件，几十万字的书稿也是通过电子邮件发给出版社。

3年来，我电话用得越来越少。而且我越来越不喜欢电话，因为看电子邮件是主动的，而接电话是被动的。人们最不爱做的就是被动的事情。

1999年秋天，我不当记者了，到大学里去教书。我在课堂上淘汰了纸和笔。要求学生通过电子邮件把作业交给我。考试题也是通过电子邮件发给每个学生，要求他们完成以后在一定的时间里通过电子邮件发回给我。

1. 飞快	(形)	fēikuài	very fast	丙
2. 敲	(动)	qiāo	to hit; click	乙
3. 键盘	(名)	jiànpán	keyboard	丁
4. 光标	(名)	guāngbiāo	cursor	
5. 看重	(动)	kànzhòng	to regard as important	
6. 文件	(名)	wénjiàn	documents; papers	乙
7. 软件	(名)	ruǎnjiàn	software	丁
8. 硬盘	(名)	yìngpán	hard disc	
9. 伊妹儿	(名)	yīmèir	e-mail	
10. 打印	(动)	dǎyìn	to print	
11. 发布	(动)	fābù	to issue; release	丁
12. 媒体	(名)	méitǐ	media	
13. 传真	(名)	chuánzhēn	fax	丁
14. 稿费	(名)	gǎofèi	payment for an article or book written	
15. 往来	(动)	wǎnglái	contact	丙
16. 交换	(动)	jiāohuàn	to exchange	乙
17. 信息	(名)	xìnxī	information	丙
18. 电子信箱		diànzǐ xìnxiāng	e-mail address	
19. 论文	(名)	lùnwén	thesis	乙
20. 邮件	(名)	yóujiàn	mail	

注 释

山外有山，人外有人	shān wài yǒu shān, rén wài yǒu rén there is a mountain beyond the mountain, there is always somebody or something better	
新华社	Xīnhuáshè	Xinhua News Agency
人民日报	Rénmín Rìbào	the People's Daily
中央电视台	Zhōngyāng Diànshìtái	China Central Television Station
互联网	hùliánwǎng	web
国际互联网	guójì hùliánwǎng	internet
北京青年报	Běijīng Qīngnián Bào	Beijing Youth Daily
纽约时报	Niǔyuē Shíbào	New York Times
华盛顿邮报	Huáshèngdùn Yóubào	Washington Post

扩大词汇量

1. 除了“键盘”“软件”“光标”“硬盘”外，再说出一些和电脑有关的词语。

2. 除了“伊妹儿”“互联网”“国际互联网”“网络”“电子邮件”“电子信箱”外，再说出一些和网络有关的词语。

3. 除了“敲”“打字”“打印”“收、发（伊妹儿）”外，再说出一些和电脑操作有关的动词。

4. “高手”“强手”各是什么意思？“手”在这里是什么意思？再说出一些带“手”字的词语。

5. 除了“手”“脖子”“背”“腰”外，再说出人的其他一些身体部位的名称。

6. 除了“PCTOOLS”“WIN98”外，你还知道哪些软件的名字？它们可以做什么？

7. 除了《人民日报》、《北京青年报》外，你还知道中国哪些有名的报纸？

8. 你知道国际上哪些有名的报纸？

用词语造句

1. 飞快

例：以前，看见年轻的打字员坐在电脑前，手飞快地敲着键盘，……

2. 看重

例：我打字的速度非常快，送来的东西一下子完成，领导们也因此而看重我。

3. 发布

例：人人都可以在网上发布新闻，……

4. 往来

例：所有这些书信的往来，不是通过邮局，也不是通过传真，而是通过国际互联网。

5. 交换

例：每天和朋友们交换一百多封信。

6. 淘汰

例：我在课堂上淘汰了纸和笔。

语言点

1. 越来越……

表示同一事物在程度上进一步变化，这个短语在句子中可以作定语，也可以作状语。

例：随着互联网的出现，人人都可以在网上发布新闻，越来越多的年轻人在远离传统的新闻媒体……

但是，这就是越来越多的中国人没办法改变的生活现实。

根据下面各句的意思，用"越来越……"造句：

(1) 更多的人已经不习惯写信了。

(2) 我逐渐清楚地认识到吸烟对身体有害。

(3) 我逐渐不喜欢穿很长的裙子。

2. 不是……，也不是……，而是……

这是一个并列关系的联合复句，各分句间的关系是对举的。

例：所有这些书信的往来不是通过邮局，也不是通过传真，而是通过国际互联网。

每天和朋友们交换一百多封信，不是问好，也不是表示客气，而是交流信息和讨论问题。

根据下面各句的意思，用“不是……，也不是……，而是……”造句：

（1）她看重他的不是金钱和地位，是人品。

（2）北京最美的季节不是春天和夏天，是秋天。

（3）我不是要人装傻或要人假装成熟，是要人一片天真。

练　习

（一）说一说

1. 课文（一）中的“我”做了打字员以后的苦和乐各有些什么？

2. 课文（二）中的“我”都用网络做了些什么？除了这些你认为还可以用网络做哪些事？

3. 你常用电脑吗？你是电脑高手吗？说一说电脑给你带来的方便和麻烦。

4. 你会不会用电脑打汉字？

5. 电脑对你很重要吗？说一说你在中国使用电脑的情况，有没有电脑？在哪儿用电脑？用电脑做什么？

6. 这个世界变化很快，很多东西已经被“淘汰”了，有很多东西马上就要被“淘汰”，说一说你认为有什么东西会被“淘汰”？为什么？

（二）情景会话

1. 16岁的小明非常聪明，学习一直很好。爸爸妈妈给小明买了一台电脑，小明很喜欢，很快就能熟练地使用电脑了。一天，小明的老师打来电话，告诉小明的妈妈这次考试小明不及格，并向妈妈了解小明最近的情况。妈妈心情很不好，又觉得很奇怪。晚上，妈妈和小明进行了一次谈话。

一位同学扮演小明，一位同学扮演妈妈，完成对话。

主要词语及格式：

和……比起来；影响；不及格；玩电脑；证明

表示命令：

你必须……
A也得A，不A也得A
不准……
你听着，……

内容提示：

妈妈：

(1) 告诉小明他的老师从学校打来了电话。
(2) 问小明为什么这次考试不及格。
(3) 告诉小明自己很担心他的学习成绩。
(4) 告诉小明自己认为他考试不及格与他玩电脑有关系。
(5) 不同意小明的解释，坚持认为和玩电脑比起来，学习成绩更重要。
(6) 命令小明，不让他继续玩电脑。
(7) 命令小明必须用学习成绩证明玩电脑不影响他的学习。
(8) 试着说服小明，必要时作让步。

小明：

(1) 告诉妈妈老师打来电话可能是因为自己的考试不及格。
(2) 告诉妈妈这次考试不及格有很多原因。
(3) 告诉妈妈不必担心自己的学习成绩。
(4) 告诉妈妈考试不及格与玩电脑没有太多的关系，并告诉妈妈玩电脑甚至可以帮助自己学习。

(5) 告诉妈妈，自己不能只学习，通过玩电脑可以得到很多知识，交更多朋友。
(6) 请求妈妈让他继续玩电脑。
(7) 同意努力学习，但还是要求继续玩电脑。
(8) 试着说服妈妈，必要时作让步。

2. 有一位思想非常保守的爷爷，怎么也想不通为什么孙子会那么喜欢电脑。爷爷认为他一辈子没用过电脑，生活得也很好。

一位同学扮演孙子，另一位同学扮演爷爷，完成对话。

主要词语及格式：

上网；担心……得……病；和……打交道；保守

表示偏爱：

上瘾
迷上……
习惯于……
被……迷住了

表示怀疑：

怀疑
不见得
真的吗？
能……吗？

内容提示：

爷爷：

(1) 看见孙子在用电脑，感到很好奇。
(2) 对孙子聊天却不要和对方见面表示怀疑。

(3) 告诉孙子自己也很喜欢和别人聊天，而且认为如果能知道对方的年龄、性别和身份会聊得更好。
(4) 建议孙子应该离开电脑，多和人打交道。
(5) 告诉孙子，自己怀疑他得了“电脑病”。
(6) 举例说出电脑曾给孙子带来的麻烦，比如眼睛很累等。
(7) 对孙子的解释表示怀疑。

孙子：
(1) 告诉爷爷自己正在上网和别人聊天。
(2) 告诉爷爷在网上聊天可以不必知道对方的年龄、身份等。
(3) 告诉爷爷自己偏爱网上聊天。
(4) 告诉爷爷，通过电脑自己也可以和人打交道。
(5) 告诉爷爷，自己偏爱整天坐在电脑前面。
(6) 跟爷爷举例说明电脑带给自己的快乐。
(7) 劝爷爷也学习电脑。

（三）讨论

1. 随着国际互联网的发展，报纸是否有存在的必要。

2. 随着国际互联网的发展，书信是否有存在的必要。

副 课 文

甲：我真怀念那个能收到信的年代，永远忘不了楼下邮递员一声长长的“信——”的喊声。

乙：是啊，怀念过去是人类特有的一种情绪。可是你想过没有，过去是过去，现在是现在。时代总是在前进的，就像我们现在已经不必再坐马车了一样，我们又何必总是想去穿古代的衣服呢？

甲：我已经是中年人了，对信还是有着特别的感情的。一提起写信，我就会想到一个人坐在桌前，打开灯，提起笔，边写边想的样子。那时候，信是我们生活重要的一部分，常常接到信多好啊！

乙：我觉得你犯不上总是想着过去。生活在现在，却总是想着过去，有这个必要吗？现在是什么时代了，还写什么信啊，有什么事打个电话不就行了？

甲：打电话的感觉怎么能跟写信时的感觉相比呢？给不同的人写信有不同的心情，我会找出不同的信纸，选不同的信封，再看心情贴上不同的邮票。一封信到手，不一定非看地址不可，我已经能从字体认出写信的人了，这个人的样子我也好像看见了一样。

乙：哎，我听说现在发明了一种叫可视电话的东西，你接电话的时候可以看见打电话的人，那不是更好吗？你还担什么心啊，时代前进也不会影响到人感情的交流。

甲：这样最好。你知道吗？我没事的时候，总是想看看我保存的一些信，因为它们常常让我回忆起我年轻时的生活呢。

在老师的帮助下学习生词：

怀念	huáiniàn	何必	hébì
邮递员	yóudìyuán	发明	fāmíng
情绪	qíngxù	可视电话	kěshì diànhuà
字体	zìtǐ		

功能练习

一、表示怀念（思念、缅怀）

1. 例：我真怀念那个能收到信的年代。（怀念/想/想念/思念）

在下面的情景中……

(1) 看见院子里的菊花，你想起了你的奶奶。你说：

(2) 你总是想起你去国外留学的那段生活。你说：

2. 例：永远忘不了楼下邮递员一声长长的“信——”的喊声。（忘不了）

在下面的情景中……

(1) 你不能忘记去上海旅游时的那段经历。你说：

(2) 你不能忘记小时候和哥哥姐姐在一起玩的那段日子。你说：

3. 例：一提起写信，我就会想到一个人坐在桌前，打开灯，提起笔，边写边想的样子。（一提起……，就……）

在下面的情景中……

(1) 只要说到上中学时的事，你就会想起你的老师。你说：

(2) 只要说到家乡，你就会想起那条小河。你说：

4. 例：那时候信是我们生活重要的一部分，常常接到信多好啊！（那时候，多……啊！）

在下面的情景中……

(1) 那时候，你们正年轻，有理想，你认为那时候非常好。你说：

(2) 那时候，天很蓝，树很绿，水很清，你认为那时候是非常美的。你说：

5. 例：你知道吗？我没事的时候，总是想看看我保存的一些信，因为它们常常让我回忆起我年轻时的生活呢。

(常常让我回忆起……)

在下面的情景中……

(1) 这些照片常常让你想起中学的生活。你说：

(2) 那只老式的手表常常让你想起你的父亲。你说：

二、表示不必

1. 例：时代总是在前进的，就像我们现在已经不必再坐马车了一样，我们又何必总是想去穿古代的衣服呢？ (不必)

在下面的情景中……

(1) 你告诉那个学生填好表寄来就可以了，不需要再来一趟了。你说：

(2) 你认为这部分材料自己翻译就可以，不需要请外国专家了。你说：

2. 例：时代总是在前进的，就像我们现在已经不必再坐马车了一样，我们又何必总是想去穿古代的衣服呢？ (何必……呢？)

在下面的情景中……

(1) 你认为他不是故意的，而且已经认错了，应该原谅他，没有必要批评他。你说：

(2) 你认为花钱请人来搬更好，没有必要自己去搬。你说：

3. 例：我觉得你犯不上总是想着过去。 (犯不上/犯不着)

在下面的情景中……

(1) 你觉得他们都是些孩子，没有必要为他们生那么大的气。你说：

(2) 你觉得这些都是小事，没有必要也用不着去找领导。你说：

4. 例：生活在现在，却总是想着过去，有这个必要吗？

(有这个必要吗？)

在下面的情景中……

(1) 他已经知道自己错了，如果再批评他，你认为没有必要。你说：

(2) 文章已经改过两遍了，如果再改第三遍，你认为没有必要。你说：

5. 例：打电话的感觉怎么能跟写信时的感觉相比呢？

(怎么能/哪能……呢？)

在下面的情景中……

(1) 你认为帮别人的忙是应该的，不用客气。你说：

(2) 你认为刚离开家乡两年，不会把家乡忘了的。你说：

6. 例：一封信到手，不一定非看地址不可，我已经能从字体认出写信的人了，这个人的样子我也好像看见了一样。

(不一定非……不可)

在下面的情景中……

(1) 你觉得小王现在最需要休息，不是一定要去医院。你说：

(2) 你认为现在最需要的是把家搬到离单位近的地方去，不是一定要换工作。你说：

7. 例：现在是什么时代了，还写什么信啊，有什么事打个电话不就行了？ (V + 什么 + N + 啊)

在下面的情景中……

(1) 你觉得时间来不及了，不用洗衣服了。你说：

(2) 你认为时间太晚了，不用做作业了。你说：

8. 例：你还担什么心啊，时代前进也不会影响到人感情的交流。

(离合词 + 什么 + 啊)

在下面的情景中……

(1) 你认为大家随便吃点儿什么就行了，不用去大饭店。你说：

(2) 你认为只复习就行，不用考试了。你说：

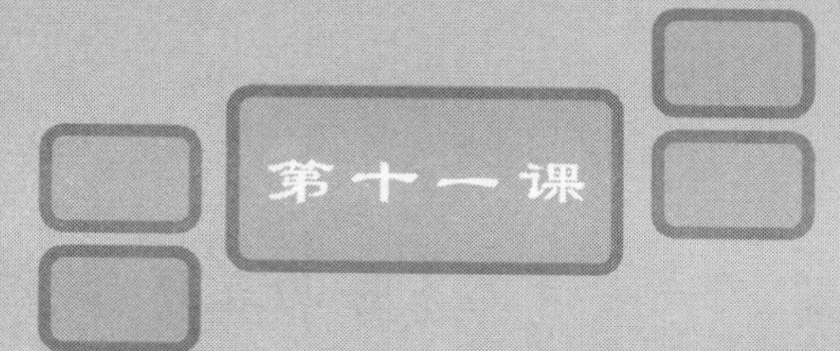

第十一课

城市生活

主课文

（一）超摩天大楼里的一天

早上7点整，闹钟响了。迪克滚下床，把闹钟按了一下，闹钟不再响了。他给自己弄了一杯咖啡，走到窗边往远处看。阳光很好，但第110层附近好像有些云层。现在是冬天吧？还是已经到春天了？他想，实在应该出去走走了。

他急急忙忙吃完早饭，赶去乘8点32分的电梯下到125层，走过大楼内部相连的一段桥到达第20座，再乘8点53分的电梯上137层。走进办公室，正好9点整。

下班后，他到100层的超级市场买了些吃的东西，回到自己的房间吃了晚饭，再到95层的体育馆打了一会儿手球，又游了一会儿泳，一天就结束了。也许周末的时候，他会下到一楼，出去走走……

（二）住在一个现代化的大都市好不好

甲：如果你是住在一个现代化的大城市里，你一定懂得要"躲开上下班高峰"。但实际上很多人并不注意"躲开上下班高峰"，你看吧，每天一早一晚两次，街上热闹得就像开了锅一样。无论你去哪儿，到处是除了人还是人。地铁很挤……

乙：说起地铁，我就想起了我们那里，一般情况下每两三分钟就有一趟车，但有些时候，地铁就显得不够了。

甲：现代化大城市太大了，根本不好管理。一些很小的没有想到的事件，比如停电、下了一场雪，都会让城市出现混乱。

乙：怪就怪在人们不但看惯了这种混乱，还宁愿在这样的混乱中生活。高楼大厦挡住了太阳，汽车污染了空气，甚至白天和晚上的差别也没有了。

甲：最可笑的是，你还要为住在这样的城市里付出很高的代价。人们住的房子是那么贵，一般人不可能买一套属于自己的房子。一个连乡下的母鸡都嫌小的公寓却要那么多钱。生活费也是那么高。你买的任何东西都要比在乡下买贵得多。

乙：另外，城市人还生活在压力之下。很多城市的犯罪率很高，晚上，你有那么多的地方不敢去。如果你仔细想想，城市真的不适合居住。

甲：所以有人说乡下才是人出生的地方和真正应该住的地方。

（三）国内外城市生活比较

和巴黎比比

一般来说，巴黎人的收入是中国人的10倍以上。但并不是所有东西的价格都差10倍。

巴黎人一般都买套大一点儿的房子：有客厅、餐厅，家中每一个人都有一间卧室，另外再多一间卧室让临时来家里做客的客人用。也有的人年轻的时候先凑合，过些年，有了一定的经济基础，再在城外买个房子度假用。如果不是旅游热点地区，郊区的房价可能会比城里便宜一半还多。

在吃的方面，巴黎人和中国人一样，最舍得花钱。但相对来说，巴黎吃的东西比较便宜。在巴黎的饭馆儿吃饭，按几“位”收钱，一人一份；而不是像在中国饭馆儿按几个“菜”收钱。讲究点儿的法国餐，最开始是开胃酒，然后是头盘、主菜、甜点，还配有餐中酒。

巴黎的汽车拥有量是80%，很多家庭上班的人每人一辆。一辆普通的轿车的价格也就是半年的工资，一辆中档轿车也就是一年的工资。但是汽油价格较高，市内停车费贵。

与汉城比比

一位中国旅游者问韩国导游小姐，韩国什么东西最便宜？这位导游小姐回答得很简单：汽车。除了汽车，韩国没有比中国更便宜的东西。

从表面上看，汉城人的工资和中国人相比，确实能把中国人吓一跳。汉城一个家庭的月平均收入为233万韩元（相当于1.7万元人民币）。一个工作3~5年的普通报社记者，月平均收入为250万韩元，是中国中央级报社记者收入的几倍。

但是，汉城的物价几乎是中国的10倍。所以，别看汉城人挣得多，大商店里，去看的人不少，但真正买东西的并不多。

在吃的方面，汉城的物价并不太高。花上3~5万韩元（200元人民币），也就能吃上一顿很讲究的韩国餐了。

现在韩国每家大多数为4口人。在汉城大约有40%的人有自己的房子，有不到45%的人租房子。在汉城，房子是生活中最重要的。

韩国私人轿车平均每6.3人就有一辆。在汉城，几乎每家都有一辆，有的人家有两辆。人们花上600万韩元（相当于5万人民币）就可以买一辆小型轿车；花上1200万韩元，就可以买一辆中档车。

（选自何龙等《国内、国外生活水平大比拼》，原载《东西南北》，有删改）

生 词

1. 超	（形）	chāo	super-; extra-	乙
2. 摩天大楼		mótiān dàlóu	skyscraper	
3. 开锅		kāi guō	(of a pot) to boil	
4. 趟	（量）	tàng	used of a trip, or a vehicle that makes a trip	乙
5. 停电		tíng diàn	power cut; power failure	
6. 混乱	（形）	hùnluàn	confusion; chaos	丙
7. 宁愿	（连）	nìngyuàn	would rather	丁
8. 差别	（名）	chābié	difference; disparity	丙
9. 公寓	（名）	gōngyù	flat; apartment house	
10. 犯罪率	（名）	fànzuìlǜ	crime rate	丙
11. 凑合	（动）	còuhe	to make do	丁
12. 热点	（名）	rèdiǎn	hot spot	
13. 拥有量	（名）	yōngyǒuliàng	the amount of sth. possesses or owns	丁
14. 中档	（形）	zhōngdàng	of medium quality; with a moderate price	
15. 报社	（名）	bàoshè	newspaper office	丙

注　释

巴黎	Bālí	Paris
汉城	Hànchéng	Seoul

扩大词汇量

1. “超摩天大楼”和“超级市场”中的“超”是什么意思？再说出其他一些带“超”字的词语。

2. “犯罪率”中的“率”是什么意思？再说出其他一些带“率”字的词语。

3. 除“客厅”“餐厅”“卧室”外，再说出其他一些类似的词语。

4. “中档”一词中的“档”是什么意思？说出其他一些带“档”字的词语。

用词语造句

1. 实在

例：他想，实在应该出去走走了。

2. 混乱

例：一些很小的，没有想到的事件，比如停电、下了一场雪，都会让城市出现混乱。

3. 宁愿

例：怪就怪在人们不但看惯了这种混乱，还宁愿在这样的混乱中生活。

4. 凑合

例：也有的人年轻的时候先凑合，……

5. 拥有

例：巴黎的汽车拥有量是80%。

6. 付出……代价

例：最可笑的是你还要为住在这样的城市里付出很高的代价。

语言点

1. 除了A还是A

表示到处都是A，有很多A；或只有A。

例：无论你去哪儿，到处是除了人还是人。

根据下面各句的意思，用“除了A还是A”造句：

(1) 无论你走到哪个房间，里面到处是书。

(2) 他慢慢地走，慢慢地看，到处是花。

(3) 他家一日三餐没有别的东西，只有鱼。

2. A就A在……

表示如果是A的话，就是由于……原因造成了A的结果。

例：怪就怪在人们不但看惯了这种混乱，还宁愿在这样的混乱中生活。

根据下面各句的意思，用“A 就 A 在……”造句：

（1）这个电影好，因为它真实。

（2）这件事搞坏了，就是因为他没有尽到责任。

（3）现在奇怪的是他不但没来，也没有请假。

（一）说一说

1. 你有没有见过摩天大楼？你上去过吗？你能想像出在摩天大楼里的生活与我们在地面上的生活有什么不同吗？

2. 如果城市真的不适合人居住，为什么很多人还是选择住在大城市，并为此付出很高的代价？

3. 你是从一个现代化的大城市来的吗？说一说你们那里的生活。比如一般人的收入是多少，在饭馆儿吃一顿饭要多少钱，买房子要多少钱，买汽车要多少钱等。

4. 你有没有在“上下班高峰”时间出去过？这时在路上花的时间比平时多多少？路上的情况怎么样？有没有迟到过？

5. 在你住的公寓里有没有出现过类似“停电”的“混乱”情况？出现“混乱”情况时，人们应该怎样做？

6. 你有没有因为要达到一个目的而“付出了很高的代价”，说一说你为什么要这样做。

7. 你了解你所在的城市的人们的生活吗？采访一个中国人，问问他/她的生活是怎样的。

8. 为什么说“城市人还生活在压力之下”？总结一下，这些压力都是什么？

9. 你认为中国有哪些“旅游热点地区”？你去过哪些地方？

（二）情景会话

1. 文先生大学毕业以后留在了他学习过的这座城市——一座现代化大都市，他在一家公司工作，干得很好。上个月，他把他的父母从乡下的老家接到这座城市，文先生想让他的父母享受一下现代化都市文明。但让文先生没有想到的是，他的父母本来很健康的身体到城市来以后却常常生病，心情似乎也不很好，并经常跟文先生说要回乡下的老家。文先生很不理解，于是他决定与父母好好谈一谈。

一位同学扮演文先生，一位同学扮演文先生的母亲/父亲，完成对话。

主要词语及格式：

到处；停电；混乱；寂寞；宁愿

表示歉疚：

别往心里去
真不好意思
感到很内疚

表示抱怨：

真是的
你就知道……
要不是……也不会……

内容提示：

文先生：

（1）问父母最近身体怎么样，在这儿是不是住得惯。
（2）对父母表示歉疚，因为自己没有花更多的时间陪他们。
（3）告诉父母，自己接他们来城市是想让他们跟自己在一起。
（4）跟父母建议，不必每天总呆在家里，可以去外面逛逛。
（5）告诉父母，自己担心他们在乡下太辛苦，所以才接他们来城市。
（6）告诉父母，不必帮自己什么忙。
（7）表示希望父母多住一段时间。
（8）提出一个建议让父母满意。

文先生的父母：

（1）告诉儿子身体不好都是小毛病，没太大关系。
（2）告诉儿子他们知道儿子忙，并让他不必多花时间陪他们。
（3）表示能来看看儿子已经觉得很好了。
（4）抱怨城市空气不好，又没有什么人可以说话，所以觉得寂寞。
（5）告诉儿子乡下的生活他们已习惯了，来城市是想帮儿子。
（6）告诉儿子他们看他生活得很好就放心了，想回乡下老家。
（7）坚持要回乡下，告诉儿子乡下还有事要做。
（8）跟儿子商量出一个办法。

2. 一位年轻的市长刚刚上任，他一心想把这座城市建设好。他有一个“为本市居民办十件好事”的计划，并很想听听本市居民对这个计划有什么好的建议。

这天，他亲自召开了一个大会，邀请了十几位本市居民代表参加，这些居民代表包括公司职员、幼儿园老师、家庭妇女等。会上，大家纷纷提出自己的建议，每一个建议都是对本市居民有利的。最后，由市长和大家商量决定出这“十件好事”。

一位同学扮演市长，几位同学扮演居民代表，分组进行对话。

内容提示：

市长：

(1) 向本市居民代表介绍自己。

(2) 向居民代表报告自己的计划。

(3) 表示希望听听他们对这个计划有什么好的建议。

(4) 把居民代表的建议收集起来。

(5) 和大家商量出“十件好事”。

居民代表：

(1) 介绍自己的职业、身份。

(2) 对市长的计划发表意见。

(3) 各自提出自己的建议，并说明提出建议的理由。

(4) 对别人的建议发表看法。

(5) 和市长一起商量出“十件好事”。

（三）讨论

1. 有人说一栋超摩天大楼就是一座摩天城，从理论上说，一个人从大学毕业后进入一座摩天大楼中的一个公司，可以一直到他退休那天再出来，你认为这可能成为现实吗？

2. 城市生活是否真的是一种不自然的生活？

副课文

甲：现在的这些孩子啊，得到什么都太容易了，所以就不听话了，已经不能理解我们小时候的生活了。

乙：是啊，他们整天不是上网，就是玩游戏机，要不就看电视，谁还听他们的老奶奶给他们讲狼和羊的故事？

甲：就拿我的孩子来说吧，他明明知道挑食的习惯不好，可每顿饭还是只吃他喜欢吃的菜。

乙：小孩子嘛，挑食是难免的。

甲：还有啊，都12岁了，还不敢一个人睡觉。

乙：别发愁，等他再大一点儿，他自然就要一个人睡了。

甲：他这么大了，连洗衣服还都不会洗，以后怎么办呢？

乙：我看这也没什么，等他一个人去外地上大学时，不会洗衣服也得学着洗。

甲：为了考大学，整天就知道看书学习。

乙：那有什么，谁家的孩子不是这样？

甲：咳，真是的，现在的孩子每天能看到汽车，看到钱；但是却看不到日出和日落。

乙：是啊，他们跟着大人从一个家庭走到另一个家庭，却看不见蚂蚁的家庭、蜜蜂的家庭。

甲：他们的勇敢体现在摔家里的东西上，但却没有地方去爬树，没有机会晚上一个人走夜路。

乙：他们会注意看大人的脸色，却注意不到季节的颜色。他们……

甲：算了，别再说了吧，也许我们是过分担心了。

在老师的帮助下学习生词：

挑食	tiāo shí	蜜蜂	mìfēng
难免	nánmiǎn	摔	shuāi
蚂蚁	mǎyǐ	脸色	liǎnsè

功能练习

一、表示抱怨（埋怨）

1. 例：他们整天不是上网，就是玩游戏机，要不就看电视，谁还听他们的老奶奶给他们讲狼和羊的故事？

（不是……，就是……，要不……）

在下面的情景中……

(1) 他总是找借口不来上课，有时说闹钟坏了，有时说自行车坏了，还有时说自己生病了，你表示不满意，抱怨他。你说：

(2) 你的孩子整天除了看书、学习，就是看电视、玩电脑，不爱出门，你埋怨他。你说：

2. 例：他明明知道挑食的习惯不好，可每顿饭还是只吃他喜欢吃的菜。

（明明……，还……）

在下面的情景中……

(1) 你埋怨你的朋友，因为他确实知道这件事，但却说不知道。你说：

(2) 你埋怨你的同屋，因为他知道已经晚上 12 点钟了，可是还不睡。你说：

3. 例：还有啊，都 12 岁了，还不敢一个人睡觉。

（都……了，还……）

在下面的情景中……

(1) 你抱怨学校的管理人员，因为已经 11 月了，可还是没有暖气。你说：

(2) 你抱怨你的同屋，因为已经上午 10 点了，可他还是不起床。你说：

4. 例：他这么大了，连洗衣服还都不会洗，以后怎么办呢？

（连……都……，以后怎么办呢？）

在下面的情景中……

（1）你抱怨你的朋友，因为这么一点儿困难他都怕，你担心他以后怎么办。你说：

（2）你抱怨你的孩子，因为他已经学了一个星期的汉语了，可是还不会说“你好”，你担心他以后也会学不好。你说：

5. 例：为了考大学，整天就知道看书学习。 （就知道……）

在下面的情景中……

（1）你抱怨你的丈夫，因为他一天到晚只是打牌，不管孩子。你说：

（2）你抱怨你的孩子，因为他一天到晚玩儿，不学习。你说：

6. 例：咳，真是的，现在的孩子每天能看到汽车，看到钱；但是却看不到日出和日落。 （真是的）

在下面的情景中……

（1）你抱怨你的朋友，因为他没来，而且也没有事先告诉你。你说：

（2）你抱怨天气不好，因为又下雨了。你说：

二、进行安慰（劝慰/宽慰/开导/壮胆）

1. 例：小孩子嘛，挑食是难免的。 （……是难免的）

在下面的情景中……

（1）你安慰你的同学，告诉他因为这是第一次参加考试，所以免不了紧张。你说：

（2）你安慰你的学生，告诉他学习外语时，犯错误是免不了的。你说：

2. 例：别发愁，等他再大一点儿，他自然就要一个人睡了。 （别紧张/着急/发愁）

在下面的情景中……

（1）你安慰你的同屋让他不要着急，虽然他的钥匙丢了，你还有钥匙。你说：

（2）你安慰你的朋友，让他去见那个教授的时候不用紧张，因为那个教授是个很和气的人。你说：

3. 例：我看这也没什么，等他一个人去外地上大学时，不会洗衣服也得学着洗。（没什么）

在下面的情景中……

(1) 你安慰他，告诉他这只是件小事，没关系。你说：

(2) 你安慰妻子，告诉她孩子长大了就会知道父母的心情了，现在不懂，没关系。你说：

4. 例：那有什么，谁家的孩子不是这样？（那有什么）

在下面的情景中……

(1) 你安慰你的朋友，告诉他缺两万块钱没什么，你借给他。你说：

(2) 你安慰你的朋友，告诉他只是现在辛苦一点儿，以后会好的。你说：

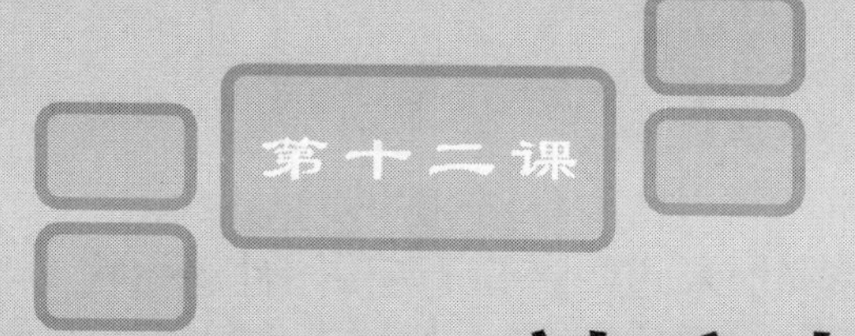

社交与风俗

主课文

（一）老外最想问中国人的十大问题

1. 最让你吃惊的事情是什么？

到了西方，刚认识的外国同事、朋友或老师最感到好奇的一个问题就是："你到了我们国家，最让你吃惊和奇怪的事情是什么？"如果我们要老老实实地去回答这个问题的话，那应该这样说：这里的一切和我的想像差不多。

2. 北京什么时候"改名"的？

在外国，总是有外国人问"Peking"什么时候被改成"Beijing"的。对这个问题，我总是回答：北京就是北京，从来就没改过名，只是拼写的方式改用了汉语拼音。

3. 狗肉好吃吗？

刚到巴黎时，有法国人问："你喜欢吃狗肉吗？"我那时刚出国，并不知道：无论我怎么回答，都承认了吃狗肉这个事实，而这正是他问这个问题的目的。在这些外国人看来，狗是人们的朋友，你们怎么能吃它们呢？

4. 用筷子怎么喝汤？

许多老外下功夫练习用筷子，到了中国餐馆儿就不再用刀叉，说是不用筷子就吃不出中餐的味道。可是有一件事许多外国人搞不明白，那就是用筷子怎么喝汤？我告诉他们，中国人喝汤的时候把筷子放在一边，或用勺子喝，或者端起碗喝。外国人听了有点不太相信：就这么简单？

5. 哪个是姓，哪个是名？

对我们中国人来说，姓在前名在后，是很自然的。而西方人则不是这样，要先说名字，然后再说姓。所以外国人见了中国人的名字，不知道怎么回事，常常要问：哪个是姓，哪个是名？

6. 你不高兴吗？

记得那次去法国，在机场有法国朋友来接，一见面，连亲带吻，又是拥抱，又是拍肩膀，夸张的动作好像几辈子没见面了。同时来接机的还有在巴黎的中国同学，老乡见到了老乡，虽然也觉得亲切，但仅仅是握握手。老外见了很不理解：难道你们不高兴吗？怎么跟外国人解释呢？中国人说“有朋自远方来不亦乐乎”，主要指心里的高兴，而不是嘻嘻哈哈的外在表现。

7. 你有没有“关系”？

中文“关系”一词很多外国人都知道。有一次，我想去一家出口公司工作，公司的负责人很神秘地问我：“在中国有没有‘关系’？”实际上，西方人和中国人一样讲究关系。一位美籍华人告诉我，中国人所说的“关系”和美国人心中的“关系”还是不一样。他举了个例子：假设比尔·盖茨介绍一个年轻人到另一家电脑公司去工作，如果这是家美国公司，那么那美国老板会想盖茨介绍来的人，一定不会错，留下；如果这是家中国公司，中国老板会想这可是盖茨介绍来的人，我不留下他不是太不给人家面子了吗？

8. 为什么中文这么难？

许多外国人对中国文化感兴趣，想学中文。但是往往练了一会儿“妈、麻、马、骂”以后就有点儿泄气：“为什么中文这么难？”中文对外国人来说是有点儿难，但更要命的是他们学中文有严重的心理障碍。在他们的词汇里，往往用“中文”这个词指不可理解的事，或看着新鲜但又没有多少实用价值的东西。

9. 你会功夫吗？

在国外有很多功夫爱好者，他们很想与中国人交流一下体会。一聊起来，他们第一个问题就是：“你会功夫吗？”在许多外国人眼里，中国人从小练功夫，虽然不一定能像功夫电影里那样，但是对付几个小流氓还是可以的。

10. 有清凉油吗？

我的一位朋友最近去拉美的一个小国。进海关的时候，警察仔细看了看护照，确认是中国人以后，突然伸出手来，嘴里说着什么“清凉油……”。这位朋友从口袋里掏出一盒清凉油递过去，就很顺利地进关了。

（二） 不一样的行为方式

甲：为什么我们学外语的时候，总也学不会那些简单的词语？

乙：是啊，如果我们能，我们就能进入另一种文化，不再让人觉得你是外国人。

甲：所有的汉语课本都从怎么跟人打招呼开始；可是一到门口送客的时候，我就不知说什么好了。只说一句“再见”

吧，不行，可是课本上就学到这么一句。于是我微笑，点头，像日本人似地弯腰鞠躬，想尽办法找些话来说，尽量做到礼貌，让客人觉得我确实欢迎他们再来。

乙：中国人告别时，应该说表示客气和“别送了”之类的话，送客应该送到尽可能远的地方——送下几层楼，直到外面的马路上，甚至到公共汽车站。

甲：当我做客人时，和主人告别就更麻烦了。我无论怎样请他留步，都不起作用，男主人或女主人，甚至两个人都坚持送到楼下，走得老远，我几乎在每层楼梯口都一再说“别送了，别送了”这些客气话。如果我试着快点儿先走，那么人家就在后面追，更不合适了。

乙：中国人认为在什么情况下都不能“急躁”。那么，分手时就该说“慢走”。不说“再见”，不说“祝你平安”，而说“慢走”。对中国人来说，这其实是表示关心。

甲：这么说来自不同文化的人，应该好好研究一下文化的差别，这样可以帮助我们更好地了解对方。

乙：不过，你只要懂得了一些信号，并知道怎样作出反应，那么生活就可以轻松多了。客人一到，我知道我应该马上问他们要不要来杯茶。他们回答说：“别麻烦了。”那正是我该去端茶的信号。客气归客气嘛。

生　词

1. 好奇	（形）	hàoqí	curious	丙
2. 餐馆儿	（名）	cānguǎnr	restaurant	
3. 味道	（名）	wèidao	taste; flavor	乙
4. 端	（动）	duān	to hold sth. level with both	

			hands; carry	乙
5. 几辈子		jǐ bèizi	several generations	
6. 老乡	（名）	lǎoxiāng	fellow-townsman	丙
7. 嘻嘻哈哈		xīxī-hāhā	laughing and joking	
8. 外在	（形）	wàizài	external	
9. 神秘	（形）	shénmì	mysterious; mystical	丙
10. 假设	（连）	jiǎshè	supposing; assuming	丁
11. 泄气		xiè qì	to lose heart; feel discouraged	丁
12. 障碍	（名）	zhàng'ài	obstacle; barrier	丙
13. 实用	（形）	shíyòng	practical; pragmatic	乙
14. 流氓	（名）	liúmáng	rogue; hoodlum; hooligan	丙
15. 清凉油	（名）	qīngliángyóu	cooling ointment	
16. 确认	（动）	quèrèn	to affirm; confirm	丁
17. 鞠躬		jū gōng	to bow	丁
18. 急躁	（形）	jízào	irritable	丙
19. 信号	（名）	xìnhào	signal	丙

注释

有朋自远方来不亦乐乎　yǒu péng zì yuǎnfāng lái bú yì lè hū　Wouldn't one be happy when a friend from afar comes to visit you?

美籍华人　měijí huárén　American Chinese

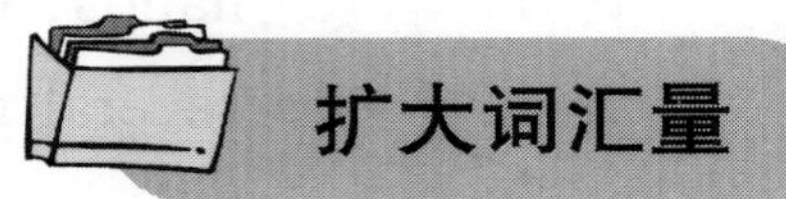

扩大词汇量

1. “关系”“功夫”等词对你来说是已经不太陌生的词，在你的国家的语言中还有哪些其他的汉语词语？

2. “确认”“确实”各是什么意思？再说出其他一些带“确”字的词语。它们都是什么意思？

3. “送客”“做客”中的“客”是什么意思？再说出其他一些带有“客”字的词语。

4. “餐馆”“中餐”“餐桌”中的“餐”是什么意思？再说出一些带有“餐”字的词语。

用词语造句

1. 好奇

例：朋友或老师最感到好奇的问题就是，……

2. 神秘

例：公司的负责人很神秘地问我，……

3. 假设

例：假设比尔·盖茨介绍一个年轻人到另一家电脑公司去工作，……

4. 确认

例：警察仔细看了看护照，确认是中国人后，突然伸出手来，……

语言点

A归A

表示A就是A，A和其他事情不相干，没有关系；表示“虽然是A……”

例：客气归客气嘛。

根据下面各句的意思，用“A归A”造句：

（1）虽然是朋友，但买东西的钱还得照样付。

（2）说是说，做是做，究竟你是什么样的人，日子长了就会知道的。

（3）虽然不满意，但是该干什么还得继续干。

练习

（一）说一说

1. 你学习中文有没有“心理障碍”？

2. 如果你现在回国，你最想给你的爸爸、妈妈、兄弟姐妹、亲戚朋友等带什么礼物？

3. 写出你最想问中国人的3个问题，并在全班交流。

4. 中国人讲究拉老乡关系。在外县的遇到同县的人是老乡，在外省的遇到同一个省的人是老乡，在外国遇到同是中国来的人也是老乡。

因此中国人的“同乡会”在各个地区、各个行业到处都是。你能理解这样的感情吗？

5. “有朋自远方来不亦乐乎”是谁说的话？你还知道他说过的其他的话吗？

6. 你来中国以后，有没有“最让你吃惊的事情”？

7. 你能理解什么叫“给人家面子”吗？举例说明。

8. 你有没有“总也学不会”的“简单的词语”？说出来，跟同班的同学交流一下，并讨论怎样才能学会。

9. 你现在虽然在中国生活，但你有没有“觉得你是外国人”，是什么让你有这样的感觉？

（二）情景会话

1. 甲和乙是在同一个班学习汉语的外国留学生，学习了一年以后，他们就要各自回自己的国家，在分别时，他们互相赠送礼物。要求：

（1）按自己国家的风俗习惯选择礼物。

（2）在送礼时向对方讲明送礼原因，并使对方了解你的心意。

主要词语及格式：

表示馈赠：

小意思
不成敬意
不是什么值钱的东西
要是喜欢就……
一点儿心意，拿不出手/请收下
知道你……，特地给你/特意为你……
送你……，请多指教

内容提示：

甲：

(1) 向乙表示能跟他/她在一起学习一年时间感到很高兴。
(2) 向乙表示自己的谢意。
(3) 告诉乙他/她曾经帮过自己很多。
(4) 拿出礼物送给乙。
(5) 请向乙解释按自己国家的习惯送这件礼物的含义。
(6) 说一些祝愿的话。
(7) 表示希望将来的某个时候还能见到乙。

乙：

(1) 表示跟甲在一起自己也觉得很高兴。
(2) 向甲说明他/她也是一个值得夸奖的人。
(3) 向甲表示如果自己帮过他/她，那自己会觉得很高兴。
(4) 请按你的习惯接受礼物。
(5) 表示感谢。
(6) 也送给甲一件礼物，并说明原因。
(7) 说一些祝愿的话。

2. 甲是一名外国留学生，利用假期去旅行，在火车上，坐在他/她旁边的一位中国乘客跟他/她谈起话来，就在几分钟里，关于这位留学生的所有情况都被问到了……

一位同学扮演甲，另一位同学扮演中国乘客，完成对话。

内容提示：

中国乘客：

(1) 问甲是哪国人。
(2) 问甲为什么来中国。
(3) 问甲为什么学汉语。
(4) 问甲在哪个学校学习。
(5) 问甲家有几口人。
(6) 问甲要去哪里，做什么等。

甲：

请按你自己的想法去回答他/她提出的每个问题。

（三）讨论

1. 有人说中国人是“谦虚”的人，美国人是“直率”的人，到底应该谦虚一点儿，还是应该直率一点儿？

2. 刚到美国时，从国际机场到我伯母家的路上，我吃惊地看到，干净、安静、行人很少的路上有时会出现一两个穿汗衫、短裤，甚至打赤膊的人。我停下来买快餐时，还看见了一个只穿了三点式游泳衣的年轻女子。我问表哥这是怎么回事，他回答说：穿着是个人的私事，这儿的人穿着很随便。

到了伯母家的那天晚上，吃过晚饭，我换上了一套真丝睡衣裤，看到后花园种了不少果树和花。我忍不住想去后花园逛逛。没想到我刚跨进花园，伯母喊住我：“你这样的穿着不能出房间的。”我不理解，她解释说：“穿着睡衣裤出门不雅观，虽然后园是自己家的，但隔壁邻居会看得到的，他们会以为你没礼貌。”我很奇怪：“我穿得这么多，怎么会不雅观呢？马路上打赤膊的人都有呢。”

讨论：究竟是打赤膊的不雅观，还是穿睡衣的不雅观。

副课文

甲：听说中国人常常用“你吃饭了没有”来和别人打招呼，是这样吗？

乙：很难说“是”还是“不是”，因为这要看具体情况。不能不承认，中国人口多，在过去，有没有饭吃一直是问题；同时，中国人很讲究“吃”。其次，如果人们是在去食堂的路上、吃饭的时候，或说话人正在吃饭时，用这句话和你打招呼；而如果回答的人说“还没吃”，那么说话的人也许就会请你一起吃。

甲：如果我没有吃过饭，可不可以说“没有”？

乙：如果是比较熟的朋友，毫无疑问，你可以这么说。

甲：如果对方是一个不太熟的人，或者你们之间仅仅是工作的上下属关系呢？

乙：没准儿中国人会客气地说：“我吃过了。你们正在吃饭，我等一会儿再来。”

甲：如果是对一个外国人这样打招呼呢？

乙：那就难说了。

甲：中国人很少用“谢谢”，是这样吗？

乙：没错儿。大概很多中国人觉得，一说了“谢谢”这个词，两个人的关系就疏远了。

甲：那么中国人怎么道歉呢？好像中国人说“对不起”没有英国人说Sorry说得多。

乙：你确实注意到了一个问题。但你要知道，英文的Sorry有很多含义，而“对不起”在中文里只有一个意思，那就是表示道歉，它有时候相当于英文的“Excuse me”。举例来说，你的朋友告诉你他妈妈生病了，在英文里你说“Sorry”，而在中文里你不能用“对不起”。

甲：想不到汉语和英语有这么多细微的差别呢。

在老师的帮助下学习生词：

具体	jùtǐ	上下属	shàngxiàshǔ
承认	chéngrèn	疏远	shūyuǎn
食堂	shítáng	道歉	dào qiàn
毫无疑问	háowú yíwèn		

功能练习

一、表示不肯定

1. 例：听说中国人常常用“你吃饭了没有”来和别人打招呼，是这样吗？（听说/据说……）

在下面的情景中……

(1) 你想告诉你的同学学院已决定星期五放假一天，但你还不太肯定。你说：

(2) 你想告诉你的同事，你的学院要和另一个学院合并，但你还不太肯定。你说：

2. 例：很难说“是”还是“不是”，因为这要看具体情况。（很难说）

在下面的情景中……

(1) 你认为小强的成绩一般，不能肯定他一定能考上大学。你说：

(2) 有人问你这本字典是你的同屋的吗？你不能肯定。你说：

3. 例：没准儿中国人会客气地说：“我吃过了。你们正在吃饭，我等一会儿再来。”（没准儿）

在下面的情景中……

(1) 你劝你的朋友别再等了，因为刘老板可能直接去饭店了。你说：

(2) 有人问你怎么好长时间看不到小张了，你回答说他可能请假休息了。你说：

4. 例：好像中国人说“对不起”没有英国人说“Sorry”说得多。（好像）

在下面的情景中……

(1) 有人问你去王老师家该从哪条路走，你觉得应该从这边走，但不能肯定。你说：

(2) 有人问你中文系办公室的电话号码，你觉得应该是……，但不能肯定。你说：

5. 例：到底怎样才能学好汉语，其实谁也说不清楚。

(究竟/到底……，其实谁也……+否定句式)

在下面的情景中……

(1) 谁都不能肯定到底有没有外星人。你说：

(2) 谁都不能肯定明天是不是要下雨。你说：

二、表示肯定

1. 例：不能不承认，中国人口多，在过去，有没有饭吃一直是问题。

(不能不承认……)

在下面的情景中……

(1) 你应该承认他的汉语就是比你的好。你说：

(2) 你应该承认休息了一个月以后，你的学习已经比别的同学落后了很多。你说：

2. 例：如果是比较熟的朋友，毫无疑问，你可以这么说。(毫无疑问)

在下面的情景中……

(1) 你认为这件事应该班长负责，这是可以肯定的。你说：

(2) 你认为甲是这个班里学习最好的，这是可以肯定的。你说：

3. 例：没错儿。大概中国人觉得一说了“谢谢”这个词，两个人的关系就疏远了。(没错儿/不会错/错不了)

在下面的情景中……

(1) 你能肯定明天有一个晚会。你说：

(2) 你能肯定那本书是小李拿走的。你说：

4. 例：你确实注意到了一个问题。(确实/的确)

在下面的情景中……

(1) 你可以肯定你很喜欢这个老师的课。你说：

(2) 你可以肯定他是个外向的人。你说：

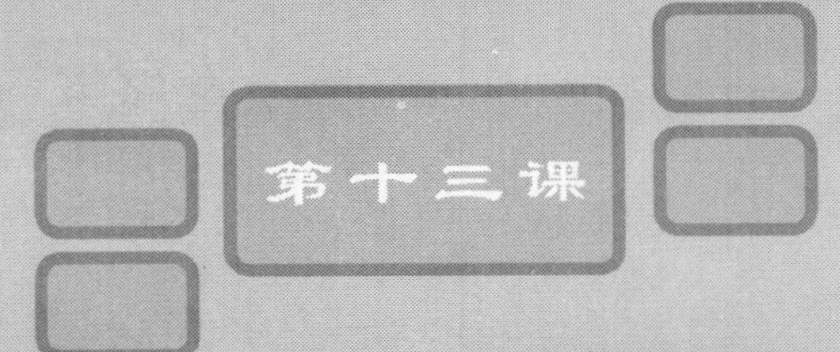

第十三课

体育运动

主课文

（一）

北京申奥成功的那一刻，他们欢呼，庆祝，整夜不睡……他们有着比普通人多了一倍的高兴的心情，因为他们是教练员和运动员，是运动场上永远的主角。

许海峰（为中国拿到第一枚金牌）

那天整个一晚上，我是和几名队员在队里一起看的电视。申奥成功我们早就想到了，只是没想到在第二轮就胜出了！

我真高兴！因为申奥成功对中国体育界，尤其是射击这个项目的发展会有很大的好处，将来的奥运村就在现在的射击队那边。不过，7年很快就过去，到那时候，作为东道主的中国队当然要有非常强的实力；要不然，老百姓不会满意。

国际奥委会的评估团来北京时到我们射击队。当时他们本来想随便看看就走的，但他们在这儿停了很长时间，问了很多问题，给人感觉他们对中国很有兴趣。当时我正在带着队员训练，桌子上放了几把汽手枪，他们要求玩儿一玩儿。有一个奥委会委员，打了几枪都打得不太好，成绩很差，但他还非要打10环。该上车了，其他委员们在门口等着，我让他站得离靶子近一些，他终于打了一个10环，特别高兴，这才走了。本来我们俩不熟，这一下成了朋友。我想，他一定是支持中国申奥成功的吧。

蔡亚林（2000年奥运会步枪冠军）

那天晚上我正和常教练和几个队员在一起。我好像知道这次申奥能成功，但没想到这么快结果就出来了。我因为离电视太远，一点儿也听不到声音。但宣布结果之前的那一刻，我还是紧张极了，心跳得很快，那感觉就像自己参加奥运会决赛似的。结果出来以后，十分高兴，比自己拿了奥运会冠军还高兴。我们几个队员使劲地握手，拥抱。

到2008年我31岁，我想参加奥运会。对射击运动员来说，这个年龄正是好时候。我还是希望自己能以一个运动员的身份参加奥运会。一个运动员能在自己的国家参加奥运会是最大的光荣。当然，我更希望自己能在北京再一次拿到奥运会金牌。

王朔（中国女子跆拳道队员，世界冠军）

我是在北京体育大学的大广场上和大学生们一起看的电视。当萨马兰奇说出“北京”两个字后，大家一下子都抱在了一起，我的眼泪也流了出来。那感觉就像比赛后裁判举起我的手，宣布我得胜一样。然后，我就举着国旗到处跑，碰见谁都打招呼，别人也跟我打招呼，所有的人都好像变成了熟人。我还给家里打了个电话，我妈妈高兴得嗓子都喊哑了，在电话里她哑着嗓子跟我说话，让我好好训练。到夜里两点半我才回到我的宿舍。

第二天全队像平时一样训练。大家都到了以后，教练只说了几句话：“从今天开始，你们要用实际行动来迎接奥运会，别的话就不多说了。”那天大家练得特别努力。

到2008年奥运会时，我想我已经不再是运动员了。到那时不管我在哪里都会回到北京，当观众也好，当志愿者也好，去运动场上为我的弟弟妹妹们加油。

田亮（2000年奥运会跳水冠军）

我们是全队一起在跳水队会议室看的电视。结果出来以后，屋里一下子热闹起来。周教练开香槟酒庆祝，我喝了两大杯。不知道是因为高兴，还是因为酒精，我的头晕乎乎的。但是高兴，比自己拿了奥运会冠军还高兴。因为第二天还要全天训练，到12点我们就都老老实实上床睡觉了，这一觉睡得真舒服。

2008年我28岁，到时候，我怎么也得拿一两块金牌，要不然对不起大家。

姚明（中国男篮队员）

我是一个人在宿舍里看的电视。一切都跟我想的一样，挺高兴，但很快平静下来了。我给我妈妈打了个电话，她也挺平静的，说了句“知道了”。我应当能赶上参加2008年奥运会，让我想像一下那时打比赛时的样子：那就像在国内打比赛吧——我的意思是说像在国内打比赛那样自信。离2008年还有7年，我觉得大家高兴后都应该平静下来，因为任何建设都需要实实在在。

第二天我们训练时谁都没提这事，像平常一样训练，我们想的是怎样打好眼前的这场比赛。

（二）

有关体育运动的几幅漫画：

● 给裁判的红牌

● 苦 练

● 令人遗憾的错误

● 合理竞赛

1. 刻	（量）	kè	moment	甲
2. 欢呼	（动）	huānhū	to hail; cheer	丙
3. 主角	（名）	zhǔjué	leading role	
4. 枚	（量）	méi	*used for small objects*	丁
5. 轮	（量）	lún	round	
6. 胜出	（动）	shèngchū	to become the winner	
7. 射击	（动）	shèjī	shooting	丙
8. 东道主	（名）	dōngdàozhǔ	host	丁
9. 实力	（名）	shílì	actual strength	丁
10. 评估	（动）	pínggū	evaluate and assess	丁
11. 训练	（动）	xùnliàn	to train; drill	乙
12. 环	（量）	huán	ring	
13. 靶子	（名）	bǎzi	target	
14. 宣布	（动）	xuānbù	to declare; proclaim	乙
15. 决赛	（动）	juésài	finals	丁
16. 金牌	（名）	jīnpái	gold medal	丁
17. 广场	（名）	guǎngchǎng	public square	乙
18. 迎接	（动）	yíngjiē	to meet; welcome	乙
19. 加油		jiā yóu	to cheer sb. on	丙
20. 香槟	（名）	xiāngbīn	champagne	
21. 晕乎乎	（形）	yūnhūhū	dizzy	
22. 实在	（形）	shízài	true; real	乙

注释

申奥	shēn ào	application to host the Olympic Games
奥运会	Àoyùnhuì	the Olympic Games
国际奥委会	Guójì Àowěihuì	the International Olympic Committee (IOC)
跆拳道	táiquándào	tae kwon do
萨马兰奇	Sàmǎlánqí	Samaranchi

扩大词汇量

1. “体育界”中的“界”是什么意思？再说出一些带有“界”字的词语。

2. “整夜”“整个晚上”中的“整”是什么意思？再说出一些带有“整”字的词语。

3. “奥运会”“奥运村”中的“奥运”是什么意思？再说出其他一些带“奥运”的词语。

4. 除了“射击”“跆拳道”“跳水”“篮球”等体育项目的名称以外，你还知道哪些其他的体育项目？

5. 除“汽手枪”“步枪”等名称以外，你还知道哪些枪的名称？

6. 除“香槟酒”以外，你还知道哪些酒的名称？

7. “决赛”“比赛”中的“赛”是什么意思？

用词语造句

1. 评估

例：国际奥委会评估团来北京时到我们射击队，……

2. 训练

例：当时我正在带着队员训练，……

3. 宣布

例：但宣布结果之前的那一刻，我还是紧张极了。

4. 迎接

例：你们要用实际行动来迎接奥运会，……

5. 加油

例：到那时不管我在哪里都会回到北京，当观众也好，当志愿者也好，去运动场上为我的弟弟妹妹们加油。

语言点

1. ……也好，……也好

连用两个（或更多）“也好”，表示不以某种情况为条件。

例：到那时不管我在哪里都会回到北京，当观众也好，当志愿者也好，去运动场上为我的弟弟妹妹们加油。

根据下面各句的意思，用“……也好，……也好”造句：

（1）你同意或不同意，事情已经这么决定了。

（2）你哭或者喊，现在都没有用了。

（3）无论是花还是鸟，他都喜欢养。

2. 怎么也得……

口语表达方法，表示“无论在什么样的情况下或发生什么事，都必须或应该……”

例：到时候，我怎么也得拿一两块金牌，要不然对不起大家。

根据下面各句的意思，用“怎么也得……”造句：

（1）我在这儿学习了三年，不管怎样也得拿一个学位回去。

（2）你无论如何也得先把衣服穿好再出去呀！

（3）我想我的孩子无论怎样也得在他们班上得个第三名。

（一）说一说

1. 你有没有最崇拜的运动员？说说你为什么崇拜他/她。

2. 看课文（二）的几幅漫画，然后说一说：

（1）有人说体育比赛是最公平合理的，谈谈你的看法。

（2）你是否知道在体育比赛中发生过的一些错误？

(3) 如果在比赛过程中遇到一个不公正的裁判，你会怎么做？

(4) 你是否了解一些运动员刻苦训练的事？说一说。

3. 有人把人生比作一个大舞台，把每个人比作演员；如果有人把人生比作一场比赛，你最想做什么样的运动员？

4. 你有没有体育方面的特长？擅长什么项目？参加过什么比赛吗？取得过什么名次？

5. 你的国家在体育方面有哪些强项？取得过什么好成绩？知名的运动员有哪些？

6. 你知道中国在体育方面有哪些强项？有哪些知名的运动员？

7. 采访一个中国人，问问他/她对2008年北京奥运会的看法，他/她想为奥运会做些什么？

8. 在你的国家，有哪些在群众中普及的体育项目？你会吗？

9. 你知道不知道，在中国人们常常用什么样的体育运动锻炼身体？你想学习吗？

10. 你知道不知道，在你的学校有哪些体育运动设施？你利用它们了吗？

（二）情景会话

1. 甲是一个非常不喜欢运动的人，常常生病。有一天，甲碰上了刚刚从运动场上跑步回来的老同学乙，乙看到甲自然很高兴，知道甲也想有一个健康的身体和开朗的性格，就试图说服甲和自己一起参加运动。

一位同学扮演甲，另一位同学扮演乙，完成对话。

主要词语及格式：

羡慕；实在；坚持；……重在……

表示鼓励：

加油
失败是成功之母
坚持就是胜利
不……绝不……
不要/不用怕……
没问题/没关系 + 会……的

内容提示：

甲：

(1) 跟乙打招呼，问乙刚才干什么了。
(2) 告诉乙最近自己遇到了点儿烦心的事，正在发愁。
(3) 告诉乙自己最近有两个工作机会等自己选择，自己考虑很久还是不能决定，很苦恼。
(4) 告诉乙自己也不想总这样苦恼。
(5) 羡慕乙性格开朗。
(6) 告诉乙自己不喜欢运动。
(7) 怀疑自己能否坚持。
(8) 对乙的话表示怀疑。
(9) 同意按乙说的去试试。

乙：

(1) 见到甲很高兴，告诉甲自己刚跑步回来，问甲最近怎么样。
(2) 关心甲问甲怎么回事。
(3) 认为甲性格不开朗，这样的事不应该苦恼。
(4) 告诉甲就是因为甲性格不开朗，所以才会苦恼。

(5) 告诉甲自己总是高兴是因为自己总是运动。
(6) 鼓励甲和自己一起运动。
(7) 鼓励甲说他/她一定能坚持。
(8) 鼓励甲只要他/她一开始运动，性格就会改变的。
(9) 答应甲给他/她制定一个运动计划。

2. 甲是太阳队的忠实球迷，乙是月亮队的忠实球迷。这一天，甲来找乙聊天，正好碰上乙正在看太阳队和月亮队的一场篮球比赛。比赛进行得非常激烈，比分一直交替上升，太阳队的5号是一位球星，甲知道很多关于5号队员的故事，但是今天不知怎么回事，他发挥得不好，教练几次把他换下场……最后月亮队赢了。

一位同学扮演甲，另一位同学扮演乙，完成对话。

主要词语及格式：

表示有把握：

保证/准保
肯定/一定
不成问题/没问题
胸有成竹/十拿九稳/稳操胜券
走着瞧吧/等着瞧吧
我敢说……

表示评价：

一看就知道
看得出（来），……

内容提示：

甲：
(1) 看到乙正看电视，问是什么比赛。
(2) 告诉乙自己正好是太阳队的球迷。

(3) 感叹比赛太激烈了。

(4) 跟乙打赌说对太阳队有把握能赢。

(5) 告诉乙自己最喜欢太阳队的5号。

(6) 告诉乙一些关于5号的事，比如他有多高、多重等。

(7) 奇怪今天5号怎么打得不好。

(8) 对乙支持月亮队表示不满。

(9) 最后太阳队输了，表示很扫兴。

乙：

(1) 让甲赶快跟自己一起看比赛。

(2) 告诉甲自己对月亮队赢有把握。

(3) 告诉甲这场比赛很重要。

(4) 对甲的猜测表示怀疑，认为月亮队有把握能赢。

(5) 告诉甲今天5号已经几次被换下场了。

(6) 问甲一些关于5号队员的情况。

(7) 告诉甲就是因为5号今天打得不好，所以太阳队看起来要输，表示支持月亮队。

(8) 月亮队打得好，表示高兴。

(9) 最后月亮队赢了，向甲显示自己的猜测能力。

(三) 讨论

1. 在一个国家办一次奥运会会给这个国家带来什么？

2. “生命在于运动”还是“生命在于静止”？

副 课 文

甲：Hi，好久不见了，你最近在忙什么？

乙：忙什么？还能忙什么？我又在写另一篇论文了。

甲：写论文可是你的本行。从上大学一直到博士，我常常在杂志上看到你写的论文。

乙：上学期我去外地做了一个调查，积累了一些材料和经验，所以我想赶快把它写出来。另外，暑假快到了，我没有别的安排，时间上有保证，我想假期结束就把论文写完。

甲：我对写论文可是一窍不通啊，只会蹦蹦跳跳地当我的健美操教练。

乙：听说你们的健美班请了一个洋教练来教健美操？

甲：是啊，虽然我们的健美班不太大，洋教练还请得起。怎么样？来我们这里和我一起练练健美吧。

乙：我是心有余而力不足啊。

甲：像你这么聪明的人，不管学什么，你一定都能学会。别说是你这个博士，就是5岁孩子也能学会。

乙：我实在是没时间啊，也没精力同时做两件事。所以可以说是要时间没时间，要精力没精力。

甲：你这个人，真是没法说，我算是说不通你了。

在老师的帮助下学习生词：

论文	lùnwén	一窍不通	yí qiào bù tōng
积累	jīlěi	蹦蹦跳跳	bèngbèng-tiàotiào
经验	jīngyàn	健美操	jiànměicāo

一、表示有能力做

1. 例：写论文可是你的本行。（本行）

在下面的情景中……

（1）你一直做会计工作，并且认为自己很适合做会计。你说：

（2）你一直当司机，并且认为自己很适合开车。你说：

2. 例：上学期我去外地做了一个调查，积累了一些材料和经验，所以我想赶快把它写出来。（积累了经验）

在下面的情景中……

（1）你当了十多年的护士，在这方面很有经验。你说：

（2）你参加过一百多场比赛，在比赛方面很有经验。你说：

3. 例：虽然我们的健美班不太大，洋教练还请得起。（V + 得 + 起）

在下面的情景中……

（1）你昨天刚领了工资，有能力请朋友吃这顿饭。你说：

（2）你这个假期没什么别的安排，有足够的时间陪朋友去旅游。你说：

4. 例：像你这么聪明的人，不管学什么，你一定都能学会。（能/可以 + 动词结构）

在下面的情景中……

（1）他已经在这儿实习半年了，可以一个人独立工作了。你说：

（2）他学汉语一年了，应该能听懂我们说的话了。你说：

5. 例：别说是你这个博士，就是 5 岁的孩子也能学会。（别说……，就是……也……）

在下面的情景中……

(1) 即使是广州（这么远的地方），你一个人也敢去，所以天津（很近），你更敢去了。你说：

(2) 即使是五个小时你也能坚持，所以两个小时你更能坚持了。你说：

二、表示无能力做

1. 例：我对写论文可是一窍不通啊。（一窍不通）

在下面的情景中……

(1) 你完全不懂养花。你说：

(2) 你完全不懂数学。你说：

2. 例：我是心有余而力不足啊。（心有余而力不足）

在下面的情景中……

(1) 你很想去学习画画儿，可是实在没时间。你说：

(2) 你很想去学习书法，可是实在没精力。你说：

3. 例：我实在是没时间啊，也没精力同时做两件事。

（没时间/没空儿/没精力）

在下面的情景中……

(1) 你这两天太忙，所以不能陪朋友去逛商店。你说：

(2) 你天天上班太忙，所以不能照顾孩子的生活。你说：

4. 例：所以可以说是要时间没时间，要精力没精力。

（要A没A，要B没B）

在下面的情景中……

(1) 你觉得这个地方既没有花，也没有草，一点儿也不美。你说：

(2) 你觉得你现在既没有人帮助，又没有钱，很难完成这个工作。你说：

5. 例：我算是说不通你了。（V+可能补语）

在下面的情景中……

(1) 没有人帮助，你认为你不能干完这个工作。你说：

(2) 身体不舒服，你认为你不能上课。你说：

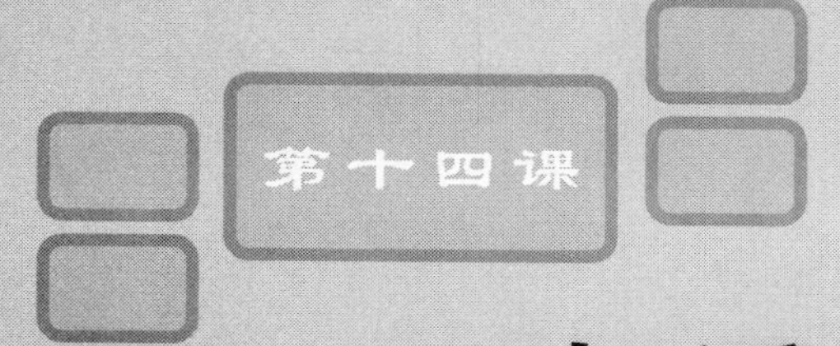

第十四课 生活方式

主课文

（一）武汉富人的故事——花钱并快乐着

买衣服常去香港、澳门

“我最喜欢的一件春天穿的衣服，‘伊斯开达’牌的，8000多元；还有一件短大衣，1万多块，都是我在香港买的。这个牌子武汉没有，我曾经想在武汉开家分店，可人家不同意，说武汉的消费水平还达不到。”

“其实，我周围的人，也有很多人没有我这么讲究，她们老说干吗买衣服要这么严格？你这些衣服穿在身上，别人又看不出来值这么多钱，再说，你这个牌子说出来也没有多少人懂。我最不同意这种想法了。”

“我的车是武汉惟一的”

赵小姐前两年在一次东南亚的车展上，终于发现了一辆红色富康。“我当时看中了这辆富康，就因为它有那种很讲究的红色，只有这种红才配得上我的衣服——因为我的衣服几乎全是黑色的。

“当时厂家告诉我，两年内武汉市不会出现第二辆。可是不到半年，我就看见第二辆了。我生气了，又要换车。这时一个做汽车生意的朋友告诉我，虽然那些车外表上和我的车一样，但只有我的车是赛车型的，比别人的都轻。我这才决定不换车了。”到现在，赵小姐的车在武汉还是惟一的。

为穿2000元的裙子，花20000元减肥

“武汉市的大美容院我基本上都试过了，没有很满意的。我一般定期到香港做美容，所以平时的护肤品一定要挑最好的。”

前年，赵小姐在香港看中了一件2000多块钱的裙子。但裙子很瘦，怎么也穿不上，又没有大号的。可是她还是把这条裙子买了下来，决心照着它减肥。听说北京有一位医生是减肥专家，她就去了北京，前后花了20000多元，终于学会了一种减肥操，一下子减了30斤。现在她可以穿那条裙子了。

钱跟钱，“含金量”不一样

“别看我现在有自己的生意，但每个月单位还会发给我600多块钱的工资。”赵小姐笑了，说自己是1988年从单位“病退”以后才开始做生意的，所以一直还和单位有联系。

“我以前的同事现在每个月都只拿到这几百块钱，大家都羡慕我能自己当老板。但他们不知道，我每个月都把单位里这点儿钱存起来，总觉得这个钱和我自己做生意赚的钱不一样，‘含金量’好像要高一些。”

最后，她向我提了一个要求：别写我的真名，我想肯定会有许多人说我的，但这是我自己的生活方式。

（二）生命真美好

人本来可以尽享天年的。只有生活方式出现错误，才可能让人过早地死去。

今天，当我70岁时，回过头看一看，发现过着酗酒生活的朋友，都已经过早地死去了。人生中难道真的没有比醉酒更让人快乐的事情了吗？我常常想这个问题，但还是不明白。也许，在他们看来，大醉一次，英年早逝也算是一种幸福？

酗酒之外，还有美食和劳累也可以让人过早地死去。

我有一位朋友，是出名的美食家。为了一顿美食，可以去很远的地方。为了尝尝我家乡的鳗鱼，不远千里来到我的家乡，竟没有给我打过一次电话。也就是说，鳗鱼是他来我家乡的惟一目的，对好朋友的问候和关心，他早就忘了。而且，还是我给他介绍的我家乡的鳗鱼名餐馆。结果我的这位美食家朋友，因为吃的美食太多，而早早地死去了。

劳累，也和酗酒与美食一样对身体不利，尤其是有了一定责任以后，你就会不自觉地为你所做的事劳累。比如，那些艺术家、通俗作家，几乎很少有人能够长寿。

那么，也许有人要说，不去追时髦，每天粗茶淡饭就好吗？我想应该是这样的。

人活在这个世界上，本身就是美好的。为了生命能够延长一天，我可以什么都不要。因为只有活着你才能感觉到自己身边，国内、国外、千变万化的人情，丰富的体验才是人生的真正意义。

也许有人要问：人活在这个世界上，不知道醉酒的快乐，不感觉美食的可口，没有过忘我的努力，这算什么人生啊？那我会回答他：我很爱惜我美好的生命。

生词

1. 惟一	（形）	wéiyī	only; sole	丁
2. 车展	（名）	chēzhǎn	motor show	
3. 赛车	（名）	sàichē	racing vehicle	
4. 减肥		jiǎn féi	to lose weight	

5. 美容院	（名）	měiróngyuàn	beauty salon	
6. 定期	（形）	dìngqī	regular；at regular intervals	丙
7. 护肤品	（名）	hùfūpǐn	skin care products	
8. 照	（介）	zhào	according to	乙
9. 尽享天年		jìn xiǎng tiān nián	to fully enjoy one's remaining years	
10. 酗酒	（动）	xùjiǔ	to indulge in excessive drinking	丁
11. 英年早逝		yīng nián zǎo shì	to die in one's prime	
12. 劳累	（形）	láolèi	tiredness; tired, run-down	
13. 鳗鱼	（名）	mànyú	eel	
14. 长寿	（形）	chángshòu	long lived	丁
15. 粗茶淡饭		cū chá dàn fàn	plain tea and simple food；homely meal	
16. 延长	（动）	yáncháng	to lengthen	乙
17. 千变万化		qiān biàn wàn huà	ever-changing	
18. 体验	（动）	tǐyàn	experience	丁
19. 爱惜	（动）	àixī	to cherish；treasure	丁

注 释

香港	Xiānggǎng	Hong Kong
澳门	Àomén	Macao
东南亚	Dōng-nányà	Southeast Asia
富康	Fùkāng	Citroën
病退	bìngtuì	to retire for health reasons

扩大词汇量

1. “近百万”中的“近”是什么意思？再说出一些带有“近”字的词语。

2. “赛车型”中的“型”是什么意思？再说出一些带有“型”字的词语。

3. “美容院”中的“院”是什么意思？再说出一些带有“院”字的词语。

4. “护肤品”中的“品”是什么意思？再说出一些带有“品”字的词语。

5. “美食家”中的“家”是什么意思？再说出一些带有“家”字的词语。

用词语造句

1. 惟一

例：我的车是武汉惟一的。

2. 定期

例：我一般定期到香港做美容，所以平时的护肤品一定要挑最好的。

3. 延长

例：为了生命能够延长一天，我可以什么都不要。

4. 体验

例：因为只有活着你才能感觉到自己身边，国内、国外千变万化的人情，丰富的体验才是人生的真正意义。

（一）说一说

1. 你认识的人中有没有像赵小姐这样生活的人？介绍一下他/她们的生活方式。

2. 你想过什么样的一种生活？换句话说，什么样的生活能让你觉得满足？

3. 解释课文中“钱跟钱，‘含金量’不一样”，这句话的含义。“含金量”指的是什么？

4. 你认为喝酒、美食和忘我的工作与人的寿命有没有关系？有什么根据吗？

5. 说一说你现在的生活方式，并想像一下若干年以后你会怎么评价你现在的生活方式？

6. 你穿的最贵的衣服多少钱？你用的最贵的化妆品多少钱？你所拥有私人物品中最有价值的东西是什么？

7. 你有没有“惟一”的私人物品？你很看重它吗？

8. 你想减肥吗？你曾经试过减肥吗？为了减肥你都做过什么？有没有效果？

9. 你去过美容院吗？做过美容吗？你对你现在的形象满意吗？

10. 你同意“大醉一次，英年早逝也算是一种幸福”吗？说说为什么。

11. 你同意“那些艺术家、通俗作家，几乎很少有人能够长寿”吗？说一说为什么。

12. 你认为“粗茶淡饭”指的是什么？是什么样的生活方式？

（二）情景会话

1. 有这样一个故事：

一个富人在沙滩散步，见到一个穷汉穿着很破的衣服躺在那里晒太阳。于是富人就对穷汉说：你为什么不去挣钱呢？穷汉说：挣钱干什么？富人说：挣钱开工厂。穷汉问：开工厂干什么？答：可以挣更多的钱呀！再问：挣更多的钱干什么？又答：开更多的工厂呀！再问：下面呢？又答：有了许多的钱就可以全世界去观光，可以买海边最好的别墅！穷汉还接着问：看世界，买别墅后又怎样？富人答道：你就可以无忧无虑地在海边晒太阳了啊！穷人说了一句：对不起，我现在已经在晒太阳了，你走吧。

一位同学扮演富人，另一位同学扮演穷汉，完成对话。

主要词语及格式：

表示自夸（夸口）：

> 数一数二
> 不是吹牛/不是吹的
> 没一样儿不会/没什么不能

没人比得上我/谁能比得过我
……是一流的
只要我……准……

表示忍让（宽容、让步）：

好吧
我服你了
就算是……吧
A就 A 吧

内容提示：

富人：
(1) 向穷汉自夸自己衣服的质量。
(2) 向穷汉自夸自己的工厂很大。
(3) 向穷汉自夸开车、打高尔夫等等自己都会。
(4) 向穷汉自夸自己的房子是最好的。
(5) 向穷汉自夸自己很有本事，想办的事都能办到。
(6) 向穷汉自夸自己的车是最好的。

穷汉：
(1) 对富人比自己穿得好表示忍让。
(2) 对富人有自己的工厂表示忍让。
(3) 对富人比自己有本事表示忍让。
(4) 对富人有车表示忍让。
(5) 对富人有房子表示忍让。
(6) 向富人证明自己一样有权力在沙滩上晒太阳。

2. 23 岁的陈小姐在银行工作，月收入 3000 元左右。但是，她却经常向银行借钱。就在最近，她又向银行提出了借钱买手机的申请。她看中了一种新式手机，价值 5000 多元。

面对女儿的行为，陈小姐的父亲怎么也想不通，他觉得女儿每月拿几千块工资，却天天欠银行的钱。一会儿买电脑，一会儿还要买手机。

而且手机也不一定真的有用：银行里的工作完全可以在上班的时候联系好，给她打手机的其实是那些叫她去唱歌吃饭的朋友，有的甚至打手机聊天，这是在浪费钱……

一位同学扮演陈小姐，另一位同学扮演她的父亲，完成对话。

主要词语及格式：

申请；借钱；手机；想不通

表示反对：

未必

不见得

A是A+不过/但是……

内容提示：

陈小姐：

(1) 打电话给银行，说自己要买一个手机，申请借钱。

(2) 放下电话，对父亲的埋怨表示不满意。

(3) 告诉父亲，自己就在银行工作，人们向银行借钱是很正常的。

(4) 告诉父亲，自己可以还银行的钱。

(5) 不同意父亲的看法，坚持要买手机。

(6) 不同意父亲的看法，认为时代不同了，可以借钱生活。

(7) 尽量坚持自己的看法。

陈小姐的父亲：

(1) 埋怨女儿又向银行借钱。

(2) 反对女儿这样的生活，因为她总是借银行的钱。

(3) 认为女儿的工资完全可以不借钱，担心女儿以后还不上银行的钱。

(4) 告诉女儿，自己觉得她买的那些东西都没用，尤其是手机。

(5) 反对女儿买手机，并认为是在浪费钱。

(6) 反对女儿再这样生活下去。

(7) 尽量坚持自己的看法。

(三) 讨论

1. “要过和别人不一样的生活”还是“要过和大家都一样的生活”?

2. “要尽情享受”还是“要尽享天年”?

副课文

甲：你好，最近怎么样?

乙：不错，好得不能再好了。上个月刚刚退休，大家给我开了一个欢送会，说我工作几十年很有成绩，听他们这么说，我知足了呀!

甲：你现在的生活是再舒服不过了，退休金那么高，身体那么好，还不是想干什么就干什么?

乙：不行啊，也有让人操心的事，就是我那个女儿。

甲：人家不是挺好的吗? 在外企工作，月收入4000多块。

乙：你不知道，我这个女儿，身上哪怕只有10块钱，也敢打的，就好像有10万块钱似的。

甲：打的就打的吧，谁不知道坐车舒服呢?

乙：孩子大了，我真拿她没办法。每天不吃早饭，说这是她的自由，什么时候觉得饿了才吃。

甲：那你可得管管她，每天给她把饭做好，让她吃也得吃，不吃也得吃。

乙：我何尝不想管管她呢? 可她真是自由惯了：天天老是找不着东西，生病了能不去医院就不去医院，不愿意存钱，有钱就花，再多的钱也能让她花光。这么大了还没有一个男朋友，还说是不想结婚，不能不让人操心啊！

甲：现在年轻人倒是流行不结婚，既然这样，那就再等两年，反正现在她还不太大，另外，急也没用。

乙：真是没办法。她还跟我说了，即使将来结了婚也不要孩子，说是养宠物比养孩子省事，真让我哭不得笑不得。

甲：这种事可由不得你了。我看你就放宽心吧，年轻人喜欢赶时髦，再大一点儿就好了。

在老师的帮助下学习生词：

退休	tuì xiū	何尝	hécháng
欢送会	huānsònghuì	宠物	chǒngwù
知足	zhīzú	由不得	yóu bu de
外企	wàiqǐ		

功能练习

一、表示满意

1. 例：不错，好得不能再好了。 （不错/行）

在下面的情景中……

（1）有人问你他的发音怎么样，你对他的发音表示满意。你说：

（2）有人问你觉得她衣服的颜色怎么样，你对她衣服的颜色表示满意。你说：

2. 例：不错，好得不能再好了。 （A 得不能再 A 了）

在下面的情景中……

（1）这本字典收的汉字很全，你对这本字典很满意。你说：

(2) 你听到这个消息以后非常高兴，你想告诉别人你高兴的心情。你说：

3. 例：听他们这么说，我知足了呀！ （知足/满足）

在下面的情景中……

(1) 你对这儿的生活条件和工作条件很满意。你说：

(2) 你的工资很高，将来可以有足够的钱买房子，买车，你很满意了。你说：

4. 例：你现在的生活是再舒服不过了。 （再……不过了）

在下面的情景中……

(1) 你的妈妈帮你买的那件衣服颜色、样式、大小都很好，你穿上很合适，你表示满意。你说：

(2) 你家附近的商店的东西很便宜，你表示很满意。你说：

二、表示无奈

1. 例：你不知道，我这个女儿，身上哪怕只有 10 块钱，也敢打的，就好像有 10 万块钱似的。 （即使/哪怕……也……）

在下面的情景中……

(1) 你的妈妈太爱干净，地上有一根头发，她也要捡起来，你对她表示无奈。你说：

(2) 你的孩子胆子很大，天塌下来，他也不害怕，你对他表示无奈。你说：

2. 例：打的就打的吧，谁不知道坐车舒服呢？ （A 就 A 吧）

在下面的情景中……

(1) 你做错了事，老师批评你，你表示无奈，因为你知道是自己做错了。你说：

(2) 你说了一句话，你的同屋听到后不高兴了，你表示无奈，因为你并不是故意这样说的。你说：

3. 例：孩子大了，我真拿她没办法。（拿……没办法）

在下面的情景中……

（1）你的孩子太淘气，你表示无奈。你说：

（2）你的同屋太爱睡觉，你跟他说过很多次他都不听，你表示无奈。你说：

4. 例：每天你把饭做好，让她吃也得吃，不吃也得吃。

（A也得A，不A也得A）

在下面的情景中……

（1）老师让你负责一些工作，你愿不愿意都不能表示不愿意干。你说：

（2）你做错了事，妈妈批评你，你不管怎样不爱听也得听，没办法。你说：

5. 例：我何尝不想管管她呢？（我何尝不想……呢？）

在下面的情景中……

（1）你也想学习游泳，但目前没时间，你表示无奈。你说：

（2）你很想学法律，但你的父母不同意，你表示无奈。你说：

6. 例：再多的钱也能让她花光。（再……也……）

在下面的情景中……

（1）时间哪怕再短，你们也要完成这个任务，因为你们没有别的选择。你说：

（2）哪怕你已经很累了，你也得自己走回家去，因为没有车。你说：

7. 例：这么大了，还没有一个男朋友，还说是不想结婚，不能不让人操心啊！

（不能不……啊！）

在下面的情景中……

（1）你是一位老师，一个学生犯了错误，父母来帮孩子请求你的原谅，并请你同意孩子继续上学，你表示无奈。你说：

（2）都晚上11点了，你的孩子还没回来，你很着急。你说：

8. 例：现在年轻人倒是流行不结婚，既然这样，那就再等两年，反正现在她还不太大，另外，急也没用。（既然……，那就……）

在下面的情景中……

（1）医生已经说了让你休息3天，你表示无奈，只好同意休息。你说：

（2）老师已经说了让你换班，你表示无奈，只好同意换班。你说：

9. 例：她还跟我说了，即使将来结了婚，也不要孩子，说是养宠物比养孩子省事，真让我哭不得笑不得。

（哭不得笑不得/哭笑不得）

在下面的情景中……

（1）大家都在等她开会，她却在房间里睡觉，早忘了开会的事。你说：

（2）听说她生病了，同事们都去看她，可她却从医院跑出来了。你说：

10. 例：这种事可由不得你了。（由不得）

在下面的情景中……

（1）你很想帮他的忙，可是情况不允许，你也没办法。你说：

（2）你说你坐3点的飞机到，可是飞机晚点了，大家都在等你，你表示无奈。你说：

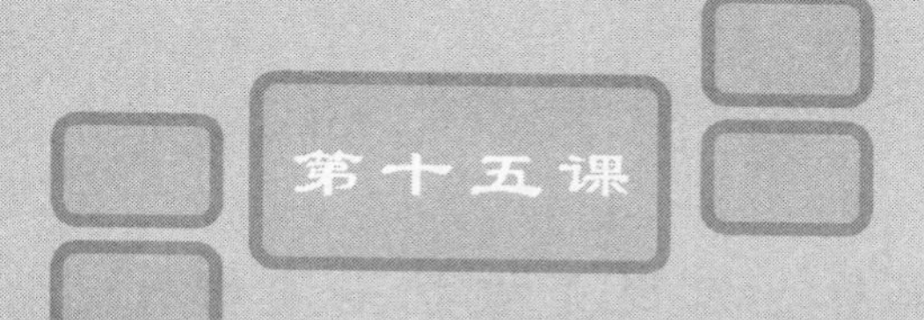

你的名字

主课文

（一）名字的烦恼

我们在生活中常可见到复印件上打印着“某×”的字样，可其中有些明明知道的名字，却为什么用“×”代替呢？这是因为电脑中没有这个字。就像我的名字“皕”一样，不仅电脑中没有，在生活中因为名字，常闹出一些令人无可奈何的笑话来。

记得刚开学的时候，新老师头一天点名，可刚念到一半，就见他皱了皱眉头，轻声地问了一句：“朱，朱什么？”接着是台下的一片哄笑声。我红着脸，不好意思地答应了声“朱bì”。从此以后，凡是别人叫“朱×”的名字，我就得认真考虑一下是否是在叫我。

我本以为做到这样就可以了，没料到这才是麻烦的开始。前几天我得了感冒到医院看病，在挂号处我认真地向挂号员说明：“朱皕，两个百的皕。”

到了诊室门口，大夫告诉我排队等着叫名字才可以进去。不到一会儿工夫，只听护士大声喊：“朱丽，朱丽……”半天没人答应。我心想：这个人怎么这么糊涂，连自己叫什么都不清楚，就是出去了也该先跟护士说一声嘛！可又一想，“朱丽”和“朱皕”这两个名字看上去差不多嘛！不会是在叫我吧？我赶忙凑过去询问，果然不出所料，那个不知道自己的名字的人正是我自己。我急忙解释，可还是被护士没好气地瞪了一眼，把医疗手册塞给了我。

看完了病，我去交费领药，还得打针。护士麻利地给我拿了药方子上的药。打完了针，护士手一捂嘴，“噗嗤”一声笑了，说：“你叫朱粥呀！”啊？我莫名其妙地接过单子一看，原来医生写单子时写成了“朱弼”，因为字迹也潦草，护士误看成了“粥”字。我心里明白，她笑可能是因为想到了“煮粥”。也许我的解释也是白费口舌，所以只得无奈地一笑。

“唉！”都是这烦人的名字，闹得看病都出笑话。朱丽、朱弼、朱粥、朱×，我到底有多少个“别名”，我都说不清。

（二）给儿子起名字

凡是做父母的，都想为孩子起个好名字。你听，林家这些人正在给他们家的新成员起名字……

妻子：爸爸，您是一家之长，您就给您的孙子起个名字吧。

爷爷：我是很讲究民主的，还是大家一起商量商量吧。

奶奶：根据辈分，到我孙子这辈，应该有个“金”字。

大哥：什么什么？“金”？命里有金，大富大贵，好是好，只是太俗气了。

奶奶：那就给孙子起个“林刚”吧，叫起来脆脆的。

大哥：什么“刚”呀“强”的，满大街都是，不好不好。不如给孩子起个双名，叫“嘉嘉”吧，叫起来甜蜜蜜的。

妻子：不好不好，这缺少男子汉的气度。

爷爷：还是让我来查查《辞海》吧，嗯，……，对，就叫“林峻”吧，“峻”是高峰的意思，我希望孩子长大以后，样样事情都能攀上高峰，这个名字不土也不洋，叫起来也顺口。

妻子：一个人的名字，不过是一个代号而已，主要是好听，容易记就行。爷爷的建议我同意。

丈夫：不行不行，我的一个同事的儿子就叫“峻”，结果幼儿园的小朋友不认识这个字，叫什么的都有，还是换一个吧。我希望我的儿子的名字能给人留下深刻的印象，就叫“林中虎”吧，够活泼，够威武。

妻子：咱们的儿子又不是野兽，什么龙龙虎虎的，我反对。

丈夫：要不然叫“林聪聪”，这名字好听、好叫，也顺耳，我实在想不出什么好的名字来了。

妻子：还是太俗了。

大哥：这孩子属蛇，蛇喜欢在草丛里出来进去的，要不给孩子起一个带草字头的名字，就叫“蔼霖”吧。

丈夫：我还是觉得不完全合适，这个名字的笔画太多了。将来我儿子成人以后参加选举，如果因为名字笔画太多，排名在最后吃了亏，他岂不要怪我一辈子。

妻子：唉！我的孩子为什么不是个女孩子呢！如果是一个女孩子，叫个什么“婷婷”呀、“宁宁”呀什么的，听起来多温柔。

丈夫：你现在后悔也晚了。再说，女孩子的名字也不是那么好起的。

……

生　词

1. 烦恼	（名、形）	fánnǎo	vexation; vexed, worried	丁
2. 明明	（副）	míngmíng	obviously; plainly	丙

3. 代替	(动)	dàitì	to replace; substitute for	乙
4. 无可奈何		wú kě nài hé	to have no way out; have no alternative	丙
5. 皱	(动)	zhòu	to knit (one's brows); frown	丙
6. 眉头	(名)	méitóu	brows	丙
7. 料	(动、名)	liào	to expect; anticipate; expectation	丙
8. 挂号		guà hào	to register (at a hospital, etc.)	乙
9. 诊室	(名)	zhěnshì	consulting room	
10. 凑	(动)	còu	to collect	丙
11. 询问	(动)	xúnwèn	to ask about	丙
12. 瞪	(动)	dèng	to glare; stare	丙
13. 医疗	(名)	yīliáo	medical treatment	丙
14. 手册	(名)	shǒucè	handbook	
15. 麻利	(形)	máli	quick	
16. 莫名其妙		mò míng qí miào	to be unable to make head or tail of sth.	丁
17. 无奈	(形)	wúnài	cannot help but; to have no alternative	
18. 到底	(副)	dàodǐ	on earth	乙
19. 民主	(名)	mínzhǔ	democracy; democratic	乙
20. 辈分	(名)	bèifen	seniority in the family or clan generational hierarchy	
21. 俗气	(形)	súqi	vulgar; in poor taste	

22. 脆	(形)	cuì	clear; crisp	丁
23. 甜蜜	(形)	tiánmì	sweet; happy	
24. 攀	(动)	pān	to climb	丙
25. 代号	(名)	dàihào	code name	丁
26. 威武	(形)	wēiwǔ	mighty; awe-inspiring	
27. 野兽	(名)	yěshòu	wild beast	丙
28. 选举	(动、名)	xuǎnjǔ	to elect; election	乙

扩大词汇量

1. 找出课文中有关看病的一些词语，说说它们是什么意思。

2. “顺口” “顺耳”是什么意思？再说出其他一些带“顺”字的词语。

3. “噗嗤”一词是有关什么声音的象声词？再说出其他一些象声词，并说说它们各是摹拟什么声音的。

4. “野兽”是什么意思？再说出一些野兽的名字。

5. “俗气”是什么意思？再说出一些带“气”字的词语。

用词语造句

1. 明明

例：可其中有些明明知道的名字，却为什么用“×”代替呢？

2. 代替

例：可其中有些明明知道的名字，却为什么用“×”代替呢？

3. 无可奈何

例：在生活中因为名字，常闹出一些令人无可奈何的笑话来。

4. 莫名其妙

例：我莫名其妙地接过单子一看，……

5. 到底

例：朱丽、朱骊、朱粥、朱×，我到底有多少个“别名”，我都说不清。

语言点

1. (不过)……而已

助词。用在陈述句末尾，有把事情往小里说的意味。常与“不过、无非、只、仅仅”等呼应。口语中多用“(不过)……罢了”。

例：一个人的名字，不过是一个代号而已。

根据下面各句的意思，用“(不过)……而已”造句：

(1) 以上只是几个例子，类似的情况还很多。

(2) 我就是说说，你不必太过于认真。

(3) 你看到的只是一些表面的东西，真正的实际情况你还不了解。

2. 岂

副词。加强反问语气，意思相当于“难道、哪、哪里、怎么”等；用在否定形式的反问句里，实际表示肯定。常与“不、不是、非”等否定性词语连用。

例：他岂不要怪我一辈子。

根据下面各句的意思，用“岂”造句：

(1) 人都不是完人，怎么能没有过错呢？

(2) 你这样解释，难道不是和你原来说的意思矛盾了吗？

(3) 你只说他有本事，你怎么不知道他人品极坏？

（一）说一说

1. 你在中国生过病吗？去过医院吗？你认为在中国看病有没有什么不方便的地方？

2. 说说在你的国家一般来说看病需要经过怎样的过程。说说你的国家的医疗制度。

3. 你有没有听说过因为叫错了名字而造成的误会或“笑话”？说一说。

4. 你对你的名字满意吗？说一说你的名字的来历和含义。

5. 为一家新开的饭馆儿起个名字；为动物园新出生的一只大熊猫起个名字；为一座写字楼起个名字，并说一说为什么要这样起。

6. 如果要你为自己起一个网名，你会起什么名字？为什么？你还听说过哪些网友的名字？

7. 说一说你周围的人的名字，给你“留下深刻印象”的名字有哪些？为什么？

8. 说一说你的国家的人起名字的习俗。

9. 你知道中国人男的和女的各喜欢起什么样的名字吗？说一说你对中国名字的看法。

（二）情景会话

1. 两位同学扮演一对夫妇，用商量的语气给他们的孩子起一个名字。

主要词语及格式：

表示商量：

怎么样？
……行不行/好不好？
是不是/是否……
能不能/可（以）不可以……
跟你商量一下，……可以吗？
建议＋“你说呢”？
“你看”＋疑问句
这么着/这样吧＋……怎么样/好吗？

内容提示：

（1）考虑一下孩子出生的年代。
（2）想想你对你的孩子的期望。
（3）想想你的孩子是男孩子还是女孩子。
（4）考虑一下孩子出生的地方。
（5）考虑一下孩子是属什么的。
（6）考虑一下孩子父母的姓名。

（7）考虑一下孩子父母的职业。

2. 一位名字叫“璐璐”的小朋友刚上小学一年级，班上选班干部，这位璐璐小朋友因为名字的笔画太多，在名单上被排在了最后，他的名字被同学们忽略了，结果没有被选上，于是他回到家，开始责备爸爸妈妈给他起的名字不好。

一位同学扮演“璐璐”，完成这段话。

主要词语及格式：

表示责备：

（你）看你
怎么这么/怎么那么……
怎么就不 + 重叠动词
亏你 + 动词结构
就你 + 主谓结构/动词结构
真不/没……

内容提示：

（1）璐璐责备爸爸妈妈给他起的名字笔画太多，不好写。
（2）璐璐责备爸爸妈妈没有为他考虑。
（3）璐璐责备爸爸妈妈给他起了一个双音的名字。
（4）璐璐责备爸爸妈妈给他起了一个女孩子的名字。
（5）璐璐责备爸爸妈妈给他起了一个特别的名字。

（三）讨论

1. 一个人的名字会不会影响一个人的命运？

2. 要一个普通的名字好，还是要一个特别的名字好？

副课文

甲：中国人是非常讲究属相之说的，利用十二属相给孩子命名是中国文化的一种。

乙：你能举个例子给我讲讲吗？

甲：比如属鼠的吧，他们就应该起带草字头或单人旁的字才好，因为按传统说法，这些字可以很好地保护他（她）。像“伏泽”“健茜”“茵云”这样的字都可以。

乙：我怎么倒觉得鼠是晚上才出来的动物，所以应该起带“月”字旁的字啊！不过，算了，草字头就草字头吧。

甲：属虎的人应该起带“山”字的名字，比方说“岩峰”“崎辉”等等。

乙：嗯，说的也是，“深山出猛虎”嘛。

甲：属龙的人起带三点水的字是最受欢迎的，举个例子说吧，“深”“江”“池”这些字都是不错的。

乙：这也难怪，龙离不开水嘛。

甲：猴年出生的孩子最好给他们起带“木”字旁的名字，比如说“福林”“松涛”……。

乙：你说的我能理解，猴子总喜欢在树上跳来跳去的。

在老师的帮助下学习生词：

命名	mìngmíng	月字旁	yuèzìpáng
草字头	cǎozìtóu	三点水	sāndiǎnshuǐ
单人旁	dānrénpáng	木字旁	mùzìpáng

一、举例

1. 例：比如属鼠的吧……（比如）

在下面的情景中……

（1）你最近学会了一些新的生词，准备向别人介绍一下。你说：

（2）这家商场里有很多电器，你准备向朋友介绍一下。你说：

2. 例：像“伏泽”“健茜”“茵云”这样的字都可以。（像……）

在下面的情景中……

（1）请你给班上的同学介绍一下你的国家有名的城市。你说：

（2）请你给班上的同学介绍一下你的朋友。你说：

3. 例：属虎的人应该起带“山”字的名字，比方说“岩峰”“崎辉”等等。（比方说……）

在下面的情景中……

（1）你认为给别人介绍对象，应该考虑到年龄、职业、学历、爱好、家庭等方面。你说：

（2）你认为他买衣服时太爱挑毛病，他总是觉得衣服做得太差，扣子和衣服的颜色不配，样子太平常等等。你说：

4. 例：属龙的人起带三点水的字是最受欢迎的，举个例子说吧，“深”“江”“池”这些字都是不错的。（举个例子说吧）

在下面的情景中……

（1）你认为送礼也有很多讲究，举例说明。你说：

（2）你在中国生活感到了很多的乐趣，举例说明。你说：

5. 例：猴年出生的孩子最好给他们起带“木”字旁的名字，比如说“福林”“松涛”……（比如说）

在下面的情景中……

(1) 你认为你的班上有些同学学习很努力，举例说明。你说：

(2) 你认为你一个星期之内有些天的课太多，举例说明。你说：

二、表示理解

1. 例：不过，算了，草字头就草字头吧。（算了）

在下面的情景中……

(1) 你认为他已经承认了错误，你表示理解。你说：

(2) 你觉得他已经道歉了，你对他表示理解。你说：

2. 例：嗯，说的也是，“深山出猛虎”嘛。（说的也是）

在下面的情景中……

(1) 你的同学认为学口语之前应该先多听别人说，你表示理解。你说：

(2) 你的朋友认为交朋友应该交和自己年龄差不多的，你表示理解。你说：

3. 例：这也难怪，龙离不开水嘛。（这也难怪）

在下面的情景中……

(1) 你的同事刚刚到你们单位来工作，不了解情况，出了差错，你表示理解。你说：

(2) 你认为他的年龄太小，还不懂事，说了错话，你表示理解。你说：

4. 例：你说的我能理解，猴子总喜欢在树上跳来跳去的。（理解）

在下面的情景中……

(1) 你的朋友说他不能来参加你的生日晚会，你表示理解。你说：

(2) 你的老师很担心你们的考试成绩，你表示理解。你说：

第十六课

叛逆和听话，你选择什么

主课文

张尹、杨艺和林晨是3个好朋友，每次一到放假，他们都要一起出去郊游。但这次寒假的郊游，杨艺却提出不带林晨去，理由是每次遇到事情，林晨总是“妈妈说的……”“出门前爸爸说……”“咱们老师曾经说过……”等等的，带上林晨就像带上个老奶奶，叫人听得烦死了。为什么我们什么事都要听大人的？为什么我们不能有自己的看法？张尹虽然也觉得林晨乖得很烦，但有时也觉得她说得有道理，大人的话是经验之谈嘛。主持人侃侃不知道他们是不是最后一起去郊游了，但从这件事中却引出一个话题：叛逆和听话，你选择什么？

主持人：侃　侃

嘉　宾：高丹艺（中学生）　魏海涛（军人）

黄红燕（外企工人）　齐　春（医生）

阎　晗（军人）　王国平（大学生）

谷　叶（大学生）　周　玲（中学生）

万　兵（大学生）

侃　侃：各位朋友大家好！这次我们要谈的题目是“叛逆和听话，你选择什么？”下面我们就来听听嘉宾们说什么。

高丹艺：我选择叛逆。从小到大，我们的耳朵听惯了父母的唠叨，我们喜欢独立思考，我们需要认清道路，我们已经不满足家长、老师为我们所作出的解释。我们喜欢大风大浪，可你们却送给我们一条“帆船”；我们喜欢冒险，可父母却总说我们不听话。以后的路是要我们去走的，父母总不会跟我们一辈子生活在一起，父母只是我们人生道路上的一个路标，只能引着我们往前走，却永远不能代替我们。

黄红燕：我会选择听话。老师、爸爸、妈妈他们说的并不完全是真理，但毕竟他们经验比我们丰富，所以许多东西还是值得我们学习的。

侃　侃：好啊！辩论刚开始，双方就说出了自己完全相反的观点，看来这场辩论不会寂寞。

阎　晗：我觉得，叛逆是人生道路上一个新的起点，它表示你成熟了。大家都知道，美国的法律规定，年满20周岁的公民便可以宣布“独立”，它既包括一切由自己选择，同时也包括他将真正地脱离父母。所以叛逆是独立的象征。

谷　叶：我是当然选择叛逆的，但不是随便的叛逆。像现在流行的“新新人类”，他们的染过的头发、彩色的嘴唇及各式服装，只能让人觉得奇怪，这不是“叛逆”，而是想引起人的注意。它们最后是要消失的。可是我们活着也不能像林晨那样，整个没有自己的思想。我认为我们的“叛逆”应该是思想上的自我独立，及生活的自我安排。就是说：我们应该有自己的思想。叛逆就要叛逆得有思想，做一个真正的叛逆者。

万　兵：从小看《西游记》，非常喜欢里面的孙悟空，他一个跟头就能到十万八千里以外的地方，多自由啊！现在想起来，如果没有那紧箍咒，凭着孙悟空的性子是怎么也成不了佛的，结果也只是个野猴子。其实，生活中，紧箍咒是处处存在的。随地吐痰，是不雅观的；食堂打饭不排队，是不好的；电影院里聊天会影响了别人等等。如果没有了上面的“紧箍咒”，社会会变成什么样子？道德的紧箍咒是必然而且应该存在的。父母的话，就像是给我们孩子头上套个紧箍咒，让我们在成长的道路上走得更稳，将来能够成为一棵真正的大树。

魏海涛：听父母的话是一种聪明的做法。作为父母，他们比我们更了解这个现实的社会。父母亲总是为儿女好，他们用自己的经历告诉我们怎样去处理问题，遇到困难时，怎么做才能更好地去解决它。“人往高处走”，谁都喜欢用一种既省时又省力的方法去达到自己的目的，我怎么会去选择叛逆呢？事事走在别人前面，你才能得到更多的机会，更好的发展，要走到别人前面，除了自己努力以外，还要有好的方法去尽量少走弯路，这就需要我们每个人去“听话”，从中得到一种好的方法，所以我会去“听话”的。

齐　春：人不管做什么总是向成功的方向努力，而想要成功就需要有直接经验和间接经验来帮助你。直接经验是你自己参与活动获得的，间接经验是通过语言交流和读书学习获得的。爸、妈、老师都是你最爱的人，他们告诉你的都是因为对你的爱，希望他们的经验对你会有所帮助，让你不走弯路。你可以不必“什么事都听大人的”，也完全需要“有自己的看法”，但对爸、妈、老师的话却不可以只认为是老奶奶式的多余唠叨。

侃　侃：说得好。接下来，侃侃要向大家介绍一些对付唠叨的好办法，说不定你就用得上呢。

王国平：面对亲生父母，过分的叛逆会使他们失望、生气；而过分的听话，会失去我们自己，像电脑游戏里的人物一样，靠别人生活。所以，我们应该努力在叛逆与听话之间找到一种平衡。对于有些事情，我们需要问一问父母的意见，因为他们的社会经验比我们多，看问题比较实际。但是，毕竟时代在变化发展，父母，特别是年纪大的父母，他们的思想与时代也许有距离。如果我们只听他们的安排，我们将会失去很多好机会。

周　玲：先说说我的观点，我觉得还是听话的好。不过，在这里我想向大家介绍一个不让大人们唠叨的好办法。首先要尽早学会做两件家务事，一是洗衣服，二是整理自己的房间。其次，找个懂礼貌、学习优秀的、性格相和的好友，并且常常把他带回家。家长们看着心里高兴。这就是我发明的“小听话，大叛逆”的方法。

生　词

1. 叛逆	（动）	pànnì	to rebel against
2. 郊游	（动）	jiāoyóu	to go for an outing; go on an excursion
3. 乖	（形）	guāi	well-behaved; docile　丙

4. 唠叨	（动）	láodao	to chatter; nag	
5. 帆船	（名）	fānchuán	sailing boat	丁
6. 路标	（名）	lùbiāo	road sign	
7. 引	（动）	yǐn	to lead；guide	丙
8. 真理	（名）	zhēnlǐ	truth	乙
9. 寂寞	（形）	jìmò	quiet；lonesome	丙
10. 脱离	（动）	tuōlí	to separate oneself from	乙
11. 象征	（动、名）	xiàngzhēng	to symbolize, signify; symbol, emblem	丙
12. 嘴唇	（名）	zuǐchún	lip	丙
13. 消失	（动）	xiāoshī	to disappear；vanish	乙
14. 跟头	（名）	gēntou	somersault	丁
15. 性子	（名）	xìngzi	nature；temperament	
16. 野	（形）	yě	wild；undomesticated	丁
17. 吐痰		tǔ tán	to spit	
18. 弯路	（名）	wānlù	winding course	
19. 参与	（动）	cānyù	to participate in	丁
20. 获得	（动）	huòdé	to gain；obtain	乙
21. 对付	（动）	duìfu	to deal with；cope with	乙
22. 亲生	（形）	qīnshēng	one's own （children or parents）	丁
23. 过分	（形）	guòfèn	excessive；undue	丙
24. 平衡	（形、动）	pínghéng	balance; balanced; to make a balance	丙
25. 距离	（名）	jùlí	distance；range	乙

注 释

紧箍咒	jǐngūzhòu	Incantation of the Golden Hoop, used by the Monk in the novel *Pilgrimage to the West* to keep the Monkey King under control
人往高处走	rén wǎng gāo chù zǒu	people always walk to somewhere higher up; people should aim high

扩大词汇量

1. “大风大浪” “帆船” “路标” “风雨” “摔倒” “遮风挡雨” “弯路”等词都各是什么意思？在课文中代表什么？

2. “听惯” “过惯”中的“惯”是什么意思？再说出其他一些带有“惯”字的词语。

3. “老奶奶式”中的“式”是什么意思？再说出一些带有“式”字的词语。

用词语造句

1. 脱离

例：它既包括一切由自己选择，同时也包括他将真正地脱离父母。

2. 象征

例：所以叛逆是独立的象征。

3. 消失

例：它们最后是要消失的。

4. 参与

例：直接经验是你自己参与活动获得的，间接经验是通过语言交流和读书学习获得的。

5. 对付

例：接下来，侃侃要向大家介绍一些对付唠叨的好办法，说不定你就用得上呢。

语言点

既……，也/又……

“既”是连词，后面用“也、又、且”来呼应，表示两种情况兼而有之。

例：它既包括一切由自己选择，同时也包括他将真正地脱离父母。

“人往高处走”，谁都喜欢用一种既省时又省力的方法去达到自己的目的，我怎么会去选择叛逆呢？

根据下面各句的意思，用“既……，也/又……”造句：

(1) 她的房间又干净又漂亮。

(2) 他是我们班的班长，又是我们班里学习成绩最好的。

(3) 老师同意我参加书法班，也同意我的朋友参加书法班。

(一) 说一说

1. 你认为你是听话的人还是叛逆的人？你有没有做过什么叛逆的事？

2. 如果你要交朋友，那么你会选择一个叛逆的还是一个听话的人？

3. 你觉得你的父母怎么看你？他们认为你是叛逆的还是听话的？你的父母喜欢叛逆的孩子还是听话的孩子？

4. 什么叫“道德的紧箍咒”？你知道哪些道德的紧箍咒？

5. 你的周围有没有喜欢“唠叨”的人？他/她常常“唠叨”什么？你记住了吗？

6. 怎样做才能“得到更多的机会，更好地发展”？

7. 你走过“弯路”吗？说一说你走“弯路”的情况，后来是怎样回到正确的路上来的？

8. 你认为一个人的“社会经验”包括哪些？一个人怎样才能获得更多的“社会经验”？

（二）情景会话

1. 一天，某公司总经理对全体员工说——“谁也不要走进八楼那个没挂门牌的房间”，但他没解释为什么。一个月后，公司又招聘了一批员工，总经理对新员工又说了一次“不要走进那个没挂门牌的房间”。这时，有个年轻人在下面小声说了一句：“为什么？”总经理满脸严肃地回答说：“不为什么。”回到自己的办公室，那个年轻人还在思考着总经理的话，其他人便劝他只管干好自己的工作，别的不用瞎操心，听总经理的，没错。可年轻人偏偏非要走进那个房间看看……

一位同学扮演年轻人，另一位同学扮演他的同事，完成对话。

主要词语及格式：

操心；偏

表示奇怪：

哎/咦
竟/竟然
（真）奇怪/怪事
不对劲

表示劝告：

算了/得了
别/甭……
最好……
还是……吧

内容提示：

年轻人：

（1）自言自语，对总经理不让人去那个房间表示奇怪。
（2）问同事为什么总经理不让人进八楼那个房间。

(3) 自言自语，觉得奇怪，因为总经理说了两次不让人进那个房间。
(4) 告诉同事自己觉得奇怪，并要进那个房间看看。
(5) 问同事为什么不让自己这样做。
(6) 不同意同事的说法。

同事：
(1) 觉得年轻人很好笑，问他自己跟自己说什么呢。
(2) 告诉年轻人不必想那么多。
(3) 告诉年轻人，总经理让干什么就干什么，不让干什么就不干什么。
(4) 劝年轻人最好不要这样做。
(5) 告诉年轻人要听总经理的话。
(6) 再一次劝年轻人只管干好自己的工作，听总经理的，没错。

两人再设想出一个结果。

2. 请你说说你心目中叛逆的男孩和女孩的形象及行为（比如，他们的头发是什么样子的，他们怎么打扮自己，他们的行为动作是什么等等）。

两个同学一组，一个同学描述完以后，另外一个同学为他 / 她打分，并对其叛逆的程度作出评价。

（三）讨论

1. 我们和父母的关系应该是什么样的？把他们当同时代的朋友，还是把他们当上个时代的老人？

2. 现代社会，做平常的人好，还是做个性特别的人好？

副 课 文

甲：在现代的社会，做平常的人好还是做个性特别的人好？
乙：我希望我能做一个有个性的人。我要是能离开家，做个独立自由的人，那该多好啊！

甲：相比之下，我更想做一个平常人。因为我们经常发现，平常人做事能够以一颗平常心去对待，和个性特别的人比起来，这些人往往更容易获得成功。

乙：我是一个高中生，而且是一个女生。虽然我还没有踏上社会，但我有个理想，希望自己有一天能成为一个成功的企业家，做个女强人，我可不甘心一辈子只是个平常的人。也许我的理想很难实现，可我相信只要付出就会有收获，为了有一个成功的未来，吃多大的苦我也心甘情愿。

甲：平常的人，比如中国农民，他们用占世界8%的耕地养活了占世界22%的人口，你能说他们不成功吗？而那些所谓"个性特别"的人呢，整天想着做大事，不想做平常的事，他们能适应现实社会吗？

乙：不管怎么说，我宁可因为太好强而失败，也不愿意因为不努力而落在别人的后面。

甲：我也渴望成功，我也想做一个个性特别的人，但是我现在是个平常的人，倒不如就从平常的事做起。

乙：成功与未来要靠我们的努力，就是再累，也要坚持。做一个平常的人并不是不好，但要平淡地过一生，那人生的意义又在哪儿呢？

在老师的帮助下学习生词：

踏上	tàshang	耕地	gēngdì
甘心	gānxīn	渴望	kěwàng
心甘情愿	xīn gān qíng yuàn	平淡	píngdàn

功能练习

一、表达意愿或打算

1. 例：我希望我能做一个有个性的人。

   但我有个理想，希望自己有一天能成为一个成功的企业家，做个女强人。（希望/盼望）

   在下面的情景中……

   (1) 你想了解一下这个学校的情况。你说：

   (2) 你想有机会能休假。你说：

2. 例：我要是能离开家，做个独立自由的人，那该多好啊！（……该多好啊）

   在下面的情景中……

   (1) 你希望现在能找到一份工作。你说：

   (2) 你想能搬到一个大一点儿的房子里去。你说：

3. 例：我可不甘心一辈子只是个平常的人。（不甘心/不情愿）

   在下面的情景中……

   (1) 你不希望一辈子只生活在一个地方。你说：

   (2) 你不愿意总是做一样的工作。你说：

4. 例：为了有一个成功的未来，吃多大的苦我也心甘情愿。（心甘情愿）

   在下面的情景中……

   (1) 为了完成这个任务，你愿意付出你的一切。你说：

   (2) 为了实现你的理想，无论让你做什么你都愿意。你说：

5. 例：不管怎么说，我宁可因为太好强而失败，也不愿意因为不努力而落在别人的后面。（宁可/宁愿……，也要/也不……）

在下面的情景中……

（1）即使一夜不睡觉，你也要把作业做完。你说：

（2）即使被老师批评，你也不愿意承认错误。你说：

6. 例：成功与未来要靠我们的努力，就是再累，也要坚持。

（就是……，也要……）

在下面的情景中……

（1）你觉得即使天再晚，也应该赶回家去。你说：

（2）你觉得即使再难，也应该争取考上大学。你说：

二、进行比较

1. 例：相比之下，我更想做一个平常人。（相比之下/比较之下）

在下面的情景中……

（1）把上海和广州比一比，你更愿意住在上海。你说：

（2）你和别人一比，别人比你更成熟。你说：

2. 例：和个性特别的人比起来，这些人往往更容易获得成功。

（和……比起来）

在下面的情景中……

（1）南方和北方相比，南方的气候更好。你说：

（2）这个牌子的电视和那个牌子的电视相比，这个牌子的电视质量更好。你说：

3. 例：平常的人，比如中国农民，他们用占世界8%的耕地养活了占世界22%的人口，你能说他们不成功吗？而那些所谓“个性特别”的人呢，整天想着做大事，不想做平常的事，他们能适应现实社会吗？（转折句<不同地点，不同人群的比较>）

在下面的情景中……

（1）你知道现在这个季节，北方已经开始下雪了，但是南方还很温暖。你说：

（2）你知道一班的同学去了香山，二班的同学去了颐和园。你说：

4. 例：但是我现在是个平常的人，倒不如就从平常的事做起。

（不如/倒不如）

在下面的情景中……

（1）你不想按原计划坐车去那里了，你想骑自行车去。你说：

（2）你不想按妈妈的话去做了，你觉得跟着哥哥，听哥哥的话更好。你说：

词汇总表 Vocabulary

A

爱惜	（动）	àixī	to cherish; treasure	丁	14
暗中	（名）	ànzhōng	in secret; on the sly	丁	2

B

靶子	（名）	bǎzi	target		13
掰	（动）	bāi	to break off with the fingers and thumb	丁	5
白菜	（名）	báicài	Chinese cabbage	乙	5
白手起家		bái shǒu qǐ jiā	to start from scratch; be self-made		3
版	（名）	bǎn	page (of a newspaper)	丁	2
伴随	（动）	bànsuí	to accompany; follow	丁	3
剥	（动）	bāo	to peel	丙	5
报社	（名）	bàoshè	newspaper office	丙	11
辈分	（名）	bèifen	seniority in the family or clan generational hierarchy		15
本身	（名）	běnshēn	itself; in itself	丙	9

C

菜花	（名）	càihuā	cauliflower		5
参与	（动）	cānyù	to participate in	丁	16
餐馆儿	（名）	cānguǎnr	restaurant		12
残疾	（名）	cánjí	disability	丁	4

惭愧	(形)	cánkuì	ashamed	丙	7
差别	(名)	chābié	difference; disparity	丙	11
长寿	(形)	chángshòu	long lived	丁	14
超	(形)	chāo	super-; extra-	乙	11
嘲笑	(动)	cháoxiào	to ridicule; laugh at	丁	2
车厢	(名)	chēxiāng	railway carriage	丙	9
车展	(名)	chēzhǎn	motor show		14
称赞	(动)	chēngzàn	to praise; commend	乙	2
成员	(名)	chéngyuán	member	丙	2
承诺	(动)	chéngnuò	to undertake; to promise		9
乘务员	(名)	chéngwùyuán	attendant on a train	丁	9
冲	(动)	chōng	to rinse; wash	乙	2
传真	(名)	chuánzhēn	fax	丁	10
创业		chuàngyè	to start an undertaking	丁	3
凑	(动)	còu	to collect	丙	15
凑份子		còu fènzi	to club together (to present a gift to sb.)		8
凑合	(动)	còuhe	to make do	丁	11
粗茶淡饭		cū chá dàn fàn	plain tea and simple food; homely meal		14
脆	(形)	cuì	clear; crisp	丁	15

D

搭配	(动)	dāpèi	to match	丁	7
打印	(动)	dǎyìn	to print		10
大吃一惊		dà chī yì jīng	to be startled at		4
大街小巷		dàjiē xiǎoxiàng	streets and lanes		3
代号	(名)	dàihào	code name	丁	15
代替	(动)	dàitì	to replace; substitute for	乙	15

当初	(名)	dāngchū	beginning; time when sth. happened	丙	3
到底	(副)	dàodǐ	on earth	乙	15
瞪	(动)	dèng	to glare; stare	丙	15
地板	(名)	dìbǎn	floor	丙	2
定期	(形)	dìngqī	regular; at regular intervals	丙	14
电子信箱		diànzǐ xìnxiāng	e-mail address		10
东道主	(名)	dōngdàozhǔ	host	丁	13
冻	(动)	dòng	to freeze	乙	9
豆腐干儿	(名)	dòufugānr	dried bean curd		4
独立	(动)	dúlì	independent; on one's own	乙	2
端	(动)	duān	to hold sth. level with both hands; carry	乙	12
对比	(动)	duìbǐ	contrast	乙	7

F

发布	(动)	fābù	to issue; release	丁	10
罚款		fá kuǎn	to impose a fine or forfeit	丁	9
帆船	(名)	fānchuán	sailing boat	丁	16
烦恼	(名、形)	fánnǎo	vexation; vexed, worried	丁	15
反映	(动)	fǎnyìng	to report; make knowm	乙	9
犯(病)	(动)	fàn(bìng)	to have an attack of one's old illness	乙	5
犯罪率	(名)	fànzuìlǜ	crime rate		11
飞快	(形)	fēikuài	very fast	丙	10

废物	（名）	fèiwù	waste material；trash	丁	2
吩咐	（动）	fēnfù	to tell；instruct	乙	1
缝	（动）	féng	to sew	丁	2
奉献	（动）	fèngxiàn	to offer as a tribute；present with all respect	丁	6
辅助	（动）	fǔzhù	assist; aid	丁	7
富豪	（名）	fùháo	rich and powerful people		3

G

干脆	（形）	gāncuì	simply; just	乙	4
尴尬	（形）	gāngà	awkward；embarrassed		8
赶紧	（副）	gǎnjǐn	losing no time；hastily	乙	4
高血压	（名）	gāoxuèyā	hypertension；high blood pressure	丁	1
稿费	（名）	gǎofèi	payment for an article or book written		10
隔壁	（名）	gébì	next door	乙	3
个性	（名）	gèxìng	individuality	丙	7
跟头	（名）	gēntou	somersault	丁	16
公寓	（名）	gōngyù	flat；apartment house		11
股票	（名）	gǔpiào	share；stock	丁	6
挂号		guà hào	to register（at a hospital, etc.）	乙	15
乖	（形）	guāi	well-behaved；docile	丙	16
管理	（动）	guǎnlǐ	to manage；administer	乙	3
光标	（名）	guāngbiāo	cursor		10
广场	（名）	guǎngchǎng	public square	乙	13
广泛	（形）	guǎngfàn	extensive; wide-spread	乙	1
规定	（动、名）	guīdìng	to stipulate；regulation	乙	8
过分	（形）	guòfèn	excessive；undue	丙	16

H

好奇	(形)	hàoqí	curious	丙	12
行业	(名)	hángyè	trade; profession	丙	6
喝斥	(动)	hèchì	to scold loudly		2
衡量	(动)	héngliáng	to weigh; measure		6
轰动	(动)	hōngdòng	to cause a sensation; make a stir	丁	8
轰隆隆	(象)	hōnglónglóng	rumble; roll		6
户口(本)	(名)	hùkǒu(běn)	registered permanent residence	丁	2
护肤品	(名)	hùfūpǐn	skin care products		14
欢呼	(动)	huānhū	to hail; cheer	丙	13
环	(量)	huán	ring		13
恢复	(动)	huīfù	to recover; regain	乙	1
婚纱	(名)	hūnshā	wedding garment		8
混乱	(形)	hùnluàn	confusion; chaos	丙	11
活力	(名)	huólì	vigor; energy	丁	1
货	(名)	huò	goods	乙	3
获得	(动)	huòdé	to gain; obtain	乙	16

J

机关	(名)	jīguān	government office; organ	乙	4
急躁	(形)	jízào	irritable	丙	12
几辈子		jǐ bèizi	several generations		12
寂寞	(形)	jìmò	lonely; lonesome	丙	16
加工		jiā gōng	to process	乙	4
加油		jiā yóu	to cheer	丙	13
夹克	(名)	jiākè	jacket		7
价值	(名)	jiàzhí	value	乙	3
假设	(连)	jiǎshè	supposing; assuming	丁	12

减肥		jiǎn féi	to lose weight		14
剪刀	（名）	jiǎndāo	scissors	丁	2
键盘	（名）	jiànpán	keyboard	丁	10
奖励	（动、名）	jiǎnglì	to encourage and reward; award	丙	2
交换	（动）	jiāohuàn	to exchange	乙	10
郊游	（动）	jiāoyóu	to go for an outing; go on an excursion		16
阶段	（名）	jiēduàn	stage; period	乙	1
戒指	（名）	jièzhi	(finger) ring		8
金牌	（名）	jīnpái	gold medal	丁	13
尽享天年		jìn xiǎng tiān nián	to fully enjoy one's remaining years		14
进取	（动）	jìnqǔ	to be eager to make progress	丁	1
精致	（形）	jīngzhì	fine; exquisite; delicate	丙	1
竟然	（副）	jìngrán	to one's surprise; unexpectedly	丙	4
鞠躬		jū gōng	to bow	丁	12
拒载		jù zài	(of taxi drivers) to refuse to take a guest		9
距离	（名）	jùlí	distance; range	乙	16
聚会	（动）	jùhuì	to get together; meet	丁	1
捐	（动）	juān	to contribute; donate	丁	1
决赛	（动）	juésài	finals	丁	13

K

开锅		kāi guō	(of a pot) to boil		11
开朗	（形）	kāilǎng	outspoken; optimistic	丁	1
看重	（动）	kànzhòng	to regard as important		10

靠	(动)	kào	to depend on; rely on	乙	4
可惜	(形)	kěxī	it's a pity	丙	3
刻	(量)	kè	moment	甲	13
夸张	(动)	kuāzhāng	to exaggerate; overstate		7
款式	(名)	kuǎnshì	pattern; style; design		7
矿	(名)	kuàng	mine	乙	6
困惑	(动)	kùnhuò	to be perplexed; be puzzled		8

L

拉	(动)	lā	to transport by vehicle	甲	9
劳累	(形)	láolèi	tired, run-down		14
唠叨	(动)	láodao	to chatter; nag		16
老大难	(形)	lǎodànán	long-standing, big and difficult		9
老乡	(名)	lǎoxiāng	fellow-townsman	丙	12
乐趣	(名)	lèqù	delight; pleasure	丁	3
类型	(名)	lèixíng	type	丙	2
礼服	(名)	lǐfú	ceremonial robe/dress		8
理由	(名)	lǐyóu	reason	乙	6
料	(动、名)	liào	to expect; anticipate; expectation	丙	15
列车	(名)	lièchē	train	丙	9
临时	(形)	línshí	temporary; provisonal	乙	9
溜冰鞋	(名)	liūbīngxié	skates; ice-skates		8
流氓	(名)	liúmáng	rogue; hoodlum; hooligan	丙	12
路标	(名)	lùbiāo	road sign		16
轮	(量)	lún	round		13
轮椅	(名)	lúnyǐ	wheelchair		9
论文	(名)	lùnwén	thesis	乙	10

萝卜	（名）	luóbo	radish	乙	5

M

麻利	（形）	máli	quick		15
鳗鱼	（名）	mànyú	eel		14
冒险	（动）	màoxiǎn	to take a risk; run a risk	丁	1
枚	（量）	méi	*used for small objects*	丁	13
眉头	（名）	méitóu	brows	丙	15
媒体	（名）	méitǐ	media		10
美容院	（名）	měiróngyuàn	beauty salon		14
谜	（名）	mí	riddle		4
免费		miǎn fèi	free of charge	丁	7
民主	（名、形）	mínzhǔ	democracy; democratic	乙	15
明明	（副）	míngmíng	obviously; plainly	丙	15
摩天大楼		mótiān dàlóu	skyscraper		11
莫名其妙		mò míng qí miào	to be unable to make head or tail of sth.	丁	15

N

年薪	（名）	niánxīn	yearly pay; annual salary		6
宁愿	（连）	nìngyuàn	would rather	丁	11
扭曲	（动）	niǔqū	to twist; contort		8
纽扣	（名）	niǔkòu	button	丁	2
侬	（代）	nóng	<dial.> you		4

P

排斥	（动）	páichì	to repel; exclude	丙	8
攀	（动）	pān	to climb	丙	15
判断	（动、名）	pànduàn	to judge; judgement	乙	1

叛逆	（动）	pànnì	to rebel against		16
赔偿	（动）	péicháng	to compensate; pay for	丙	9
批	（量）	pī	batch; lot; group	乙	4
皮肤	（名）	pífū	skin	乙	7
脾气	（名）	píqi	temperament; disposition	乙	1
票证	（名）	piàozhèng	coupons		2
品位	（名）	pǐnwèi	taste; savour		7
平衡	（形、动）	pínghéng	balance; balanced; to make a balance	丙	16
评估	（动）	pínggū	evaluate and assess	丁	13
评价	（动、名）	píngjià	to appraise, evaluate; appraisal, evaluation	丙	2
破产	（动）	pòchǎn	to go bankrupt	丙	3

Q

企业界	（名）	qǐyèjiè	business circles	乙	3
起伏	（动）	qǐfú	to rise and fall; undulate	丁	3
起码	（形）	qǐmǎ	at least	丁	6
千变万化		qiān biàn wàn huà	ever-changing		14
悄悄	（副）	qiāoqiāo	secretly; on the quiet	乙	3
敲	（动）	qiāo	to hit; click	乙	10
亲近	（动）	qīnjìn	to be close to		6
亲密	（形）	qīnmì	close; intimate	丁	8
亲生	（形）	qīnshēng	one's own (children or parents)	丁	16
青椒	（名）	qīngjiāo	green pepper		5

轻浮	（形）	qīngfú	frivolous；flighty		7
清洁工	（名）	qīngjiégōng	(street)cleaner; sanitation worker	丙	3
清凉油	（名）	qīngliángyóu	cooling ointment		12
求职		qiú zhí	to apply for a job		3
缺少	（动）	quēshǎo	to lack	乙	1
确认	（动）	quèrèn	to affirm；confirm	丁	12

R

染发露	（名）	rǎnfàlù	hair dye		8
让步		ràng bù	to yield；give in	丁	1
热点	（名）	rèdiǎn	hot spot		11
人情	（名）	rénqíng	human nature；human fellings	丁	4
软件	（名）	ruǎnjiàn	software	丁	10

S

赛车	（名）	sàichē	racing vehicle		14
三明治	（名）	sānmíngzhì	sandwich		5
沙拉	（名）	shālā	salad		5
沙拉酱	（名）	shālājiàng	salad dressing		5
设	（动）	shè	to set up；establish；found	丙	4
射击	（动）	shèjī	to shoot	丙	13
神秘	（形）	shénmì	mysterious；mystical	丙	12
胜出	（动）	shèngchū	to become the winner		13
时装	（名）	shízhuāng	fashionable dress	丁	7
实力	（名）	shílì	actual strength	丁	13
实事求是		shí shì qiú shì	to seek truth from facts	乙	1

实现	(动)	shíxiàn	to realize; achieve; bring about	甲	3
实用	(形)	shíyòng	to practical; pragmatic	乙	12
实在	(形)	shízài	true; real	乙	13
手臂	(名)	shǒubì	arm		8
手册	(名)	shǒucè	handbook		15
刷	(动)	shuā	to brush; scrub	乙	2
(水)池	(名)	(shuǐ)chí	pond; pool	丙	5
说服		shuō fú	to persuade; convince	丙	1
俗气	(形)	súqi	vulgar; in poor taste		15
算账		suàn zhàng	to do accounts; make out bills		3
损失	(动、名)	sǔnshī	to lose; loss	乙	5

T

塌	(动)	tā	to collapse; fall down	丙	6
趟	(量)	tàng	*used of a ronnd trip, used for bus or frain senice*	乙	11
掏	(动)	tāo	to draw out; pull out; fish out	乙	4
体型	(名)	tǐxíng	type of build or figure		7
体验	(动)	tǐyàn	experience	丁	14
甜蜜	(形)	tiánmì	sweet; happy		15
挑	(动)	tiāo	to carry on the shouder with a pole; shoulder	乙	3
挑担货郎		tiāodàn huòláng	street vendor carrying a shoulder pole		3
听众	(名)	tīngzhòng	audience; listeners	丁	9
停电		tíng diàn	power cut; power failure		11

头脑	（名）	tóunǎo	brains；mind	丙	1
吐痰		tǔ tán	to spit		16
拖把	（名）	tuōba	mop		2
脱离	（动）	tuōlí	to separate oneself from	乙	16

W

挖	（动）	wā	to dig	乙	6
外在	（形）	wàizài	external		12
弯路	（名）	wānlù	winding course		16
完美	（形）	wánměi	perfect		1
顽固	（形）	wángù	obstinate；stubborn	丙	1
往来	（动）	wǎnglái	to come and go	丙	10
威武	（形）	wēiwǔ	mighty；awe-insiring		15
围巾	（名）	wéijīn	muffler；scarf	丙	7
惟一	（形）	wéiyī	only；sole	丁	14
味道	（名）	wèidao	taste；flavor	乙	12
胃	（名）	wèi	stomach	乙	5
文件	（名）	wénjiàn	documents；papers	乙	10
卧铺	（名）	wòpù	sleeping berth；sleeper		9
无价之宝		wú jià zhī bǎo	priceless treasure		6
无可奈何		wú kě nài hé	to have no way out；have no alternative	丙	15
无奈	（形、连）	wúnài	cannot help but；to have no alternative		15

X

吸尘器	（名）	xīchénqì	vacuum cleaner		2
嘻嘻哈哈		xīxī-hāhā	laughing and joking		12
献殷勤		xiàn yīnqín	to curry favor (usu by being		

			attentive to sb.)		2
香槟	(名)	xiāngbīn	champagne		13
想念	(动)	xiǎngniàn	to miss; long to see again	乙	8
象征	(动、名)	xiàngzhēng	to symbolize, signify; symbol, emblem	丙	16
消失	(动)	xiāoshī	to disappear; vanish	乙	16
效率	(名)	xiàolǜ	efficiency	乙	1
泄气		xiè qì	to lose heart; feel discouraged	丁	12
信号	(名)	xìnhào	signal	丙	12
信息	(名)	xìnxī	information	丙	10
性子	(名)	xìngzi	nature; temperament		16
酗酒	(动)	xùjiǔ	to indulge in excessive drinking	丁	14
宣布	(动)	xuānbù	to declare; proclaim	乙	13
选举	(动、名)	xuǎnjǔ	to elect; election	乙	15
询问	(动)	xúnwèn	to ask about	丙	15
训练	(动)	xùnliàn	to train; drill	乙	13

Y

压	(动)	yā	to press	乙	3
延长	(动)	yáncháng	to lengthen	乙	14
严格	(形)	yángé	strict	乙	14
扬长避短		yáng cháng bì duǎn	to make the best use of advantages and bypass the disadvantages		7
野	(形)	yě	wild; undomesticated	丁	16
野兽	(名)	yěshòu	wild beast	丙	15
一连	(副)	yìlián	in a row; in succession	丙	4

一文不值		yì wén bù zhí	not worth a cent/farthing		6
一再	（副）	yízài	time and again; again and again	丙	3
伊妹儿	（名）	yīmèir	e-mail		10
医疗	（动）	yīliáo	medical treatment	丙	15
意识	（名、动）	yìshi	consciousness; to realize	丙	4
引	（动）	yǐn	to lead; guide	丙	16
隐私	（名）	yǐnsī	private matters one wants to keep to oneself		4
英年早逝		yīng nián zǎo shì	to die in one's prime		14
迎接	（动）	yíngjiē	to meet; welcome	乙	13
营养	（名）	yíngyǎng	nutrition; nourishment	乙	5
硬盘	（名）	yìngpán	hard disc		10
拥抱	（动）	yōngbào	to embrace; hug	乙	8
拥有量	（名）	yōngyǒuliàng	the amount of sth. one possesses or owns		11
勇气	（名）	yǒngqì	courage	乙	1
邮件	（名）	yóujiàn	mail		10
油烟	（名）	yóuyān	lampblack		5
约束	（动）	yuēshù	to restrain; bind	丁	9
月薪	（名）	yuèxīn	monthly pay		6
晕乎乎	（形）	yūnhūhū	dizzy		13

Z

在意		zài yì	care about; mind	丁	2
噪音	（名）	zàoyīn	noise	丁	9
责备	（动）	zébèi	to reproach; blame	丙	2
责任	（名）	zérèn	to responsibility	乙	1

障碍	(名)	zhàng'ài	obstacle; barrier	丙	12
照	(介)	zhào	according to	乙	14
照料	(动)	zhàoliào	to take care of; attend to	丁	8
真理	(名)	zhēnlǐ	truth	乙	16
诊室	(名)	zhěnshì	consulting room		15
志愿者	(名)	zhìyuànzhě	volunteer	丙	6
制服	(名)	zhìfú	uniform	丁	1
质地	(名)	zhìdì	texture		7
中产阶层		zhōngchǎn jiēcéng	middle class		6
中档	(形)	zhōngdàng	of medium quality; with a moderate price		11
忠诚	(形)	zhōngchéng	loyal; faithful	丙	1
重用	(动)	zhòngyòng	to assign sb. to a key post		3
皱	(动)	zhòu	to knit (one's brows); frown	丙	15
主角	(名)	zhǔjué	leading role		13
赚	(动)	zhuàn	to make money; make a profit	丙	1
着装	(动)	zhuózhuāng	to put on; wear		7
资本	(名)	zīběn	capital	丙	6
自然	(形)	zìrán	natural	乙	4
自由	(名、形)	zìyóu	freedom; free	乙	6
(总)代理	(名)	(zǒng)dàilǐ	(general) agent	丙	4
总经理	(名)	zǒngjīnglǐ	general manager		3
嘴唇	(名)	zuǐchún	lip	丙	16
尊重	(动)	zūnzhòng	to respect	丙	1

声　　明

本教材选编了一些作品作为课文材料，部分作品无法与作者取得联系，为了尊重作者的著作权，并保证此书的如期出版，特委托北京版权代理有限责任公司向权利人转付稿酬。请您与北京版权代理有限责任公司联系并领取稿酬。联系方式如下：

吴文波

北京版权代理有限责任公司

北京海淀区知春路 23 号量子银座 1401、1402 室

邮编：100083

电话：(010)82357056(57，58)—230　　传真：(010)82357055

《发展汉语》编委会